HILDA
Furacão

Obras do Autor

Publicadas pela Geração Editorial

Inês é Morta (*romance*)
Sangue de Coca-cola (*romance*)
Dia de São Nunca à Tarde (*novela*)
Hilda Furacão (*romance*)
Quando Fui Morto em Cuba (*contos*)

A Serem Publicadas Pela Geração Editorial

A Morte de D. J. em Paris (*contos*)
O Dia em que Ernest Hemingway Morreu Crucificado (*romance*)
Ontem à Noite era Sexta-feira (*romance*)
Os Mortos não Dançam Valsa (*romance*)
O Cheiro de Deus (*romance*)

ROBERTO DRUMMOND

HILDA
Furacão

ROMANCE

Copyright © 1991 by Beatriz Moreira Drummond

21ª edição – Maio de 2024

Grafia atualizada segundo o Acordo Ortográfico da Língua Portuguesa de 1990, que entrou em vigor no Brasil em 2009.

Editor e *Publisher*
Luiz Fernando Emediato

Capa e Diagramação
Alan Maia

Imagens de Capa
Criadas por Antonio Emediato

Revisão
Josias Aparecido de Andrade

DADOS INTERNACIONAIS DE CATALOGAÇÃO NA PUBLICAÇÃO (CIP)
(Câmara Brasileira do Livro, SP, Brasil)

Drummond, Roberto
Hilda Furacão : Roberto Drummond.
-- São Paulo : Geração Editorial, 2024.

ISBN 978-85-61501-04-4

1. Romance brasileiro I. Título.

06-7363	CDD-869.93

Índices para catálogo sistemático

1. Romances : Literatura brasileira   869.93

GERAÇÃO EDITORIAL

Rua João Pereira, 81 – Lapa
CEP: 05074-070 – São Paulo – SP
Telefax: (+ 55 11) 3256-4444
E-mail: geracaoeditorial@geracaoeditorial.com.br
www.geracaoeditorial.com.br

Impresso no Brasil
Printed in Brazil

A
Alberico Souza Cruz, Afonso Celso Guimarães Lopes, Antônio Telles, Argemiro Ferreira, Breno Milagres, Cyro Siqueira, Dodô Caldeira, Euro Arantes, Eraídes Bruschi, Evandro Brandão, Glória Amorim, Geraldo Matta Machado, Hélia Ziller, João Carlos Viegas, José da Rocha Viana, José Maria Rabelo, José Flávio Carvalho, Lauro Diniz, Maria Lúcia Saponara, Ponce de Leon Antunes e Rubens de Oliveira Batista, no Brasil.

A
Esther Perez e Arsênio Cícero Sancristóbal, em Cuba.

A
Anabela Drummond Lee, Young Lee, e Roberto Lima, nos EUA.

A
Guy de Almeida, na Itália.

E a
Hilda Furacão, onde ela estiver.

Em geral, a vida não é coisa fácil.
TURGUENIEV

Não invente nunca a fábula nem a intriga. Utilize o que a própria vida oferece. A vida é infinitamente mais rica que nossas invenções. Não existe imaginação que nos proporcione o que, às vezes, nos dá a vida mais corriqueira e comum. Respeite a vida!
DOSTOIEVSKI

As digressões são incontestemente a luz do sol; são a vida, a alma da leitura; retirai-as deste livro, por exemplo — e será melhor se tirardes o livro juntamente com elas.
LAURENCE STERNE

Aonde nos levou o sonho?
THOMAS MANN

UM

MU

0

Um Homem Morrendo no Quarto

Na época dos acontecimentos que tanto deram o que falar envolvendo Hilda Furacão, eu trabalhava como repórter na *Folha de Minas* numa Belo Horizonte que cheirava a jasmim e ao gás lacrimogêneo que a polícia jogava nos estudantes e que acabava sendo o perfume daqueles dias. Eu era um rapaz magro, fumava *se-me-dão*, sofria de três ou quatro doenças imaginárias, estava fichado no Dops e acreditava que ainda ia ter minha Sierra Maestra. Por esse tempo eu gostava muito de uns versos do poeta Joaquim Cardozo que diziam:

"Sou um homem marcado
num país ocupado
pelo estrangeiro..."

Havia bastante exagero, mas era assim que eu me sentia; afinal, dia e noite era seguido por Nelson Sarmento, o mais notório e de certa forma o mais temido agente policial daquela época; baixo, rechonchudo, o cabelo à Príncipe Danilo, um chaveiro girando no dedo, se não desenhava ou fazia anotações em sua agenda, Sarmento era onipresente. Mais adiante ele vai reaparecer nesta narrativa. Por aquele tempo eu me perguntava:

— Por que Sarmento faz tantos desenhos meus, de frente e de perfil, em sua agenda?

Desde minha prisão, nunca mais tive sossego com Nelson Sarmento; fui preso pela primeira vez numa inesquecível manhã de setembro, organizando a greve geral dos operários da Cidade Industrial de Contagem, a poucos quilômetros de Belo Horizonte e, ao ser obrigado pelos soldados a entrar numa radiopatrulha com meus companheiros Maurício Junqueira e Carlos Romeu Andreazi, gritei:

— Viva a classe operária!

Já no Dops, em Belo Horizonte, depois de fotografado de frente e de perfil e ser fichado e conhecer "tiras" que passavam por bons e outros que faziam questão de ser maus, fui levado, ao anoitecer, com Maurício Junqueira e Carlos Romeu Andreazi para uma cela considerada muito honrosa no quartel da Polícia Militar, em Santa Efigênia; pois nessa cela ampla e confortável, se é possível dizer isso de uma cela, estavam presos os companheiros Roberto Costa e Dimas Perrin, acusados, com base em filme feito pelo já citado Sarmento, de comandarem a multidão que incendiou o consulado americano em Belo Horizonte e queimou a bandeira dos EUA. Era uma prova de status revolucionário ocupar uma cela tão ilustre e fomos recebidos com grande alegria pelos dois companheiros presos; ainda assim, e considerando que o colchão era macio, perdi o sono à noite e descobri que os presos políticos também roncam — e que a liberdade, cujo barulho fora do quartel chegava até minha cama, era mais simples e menos política e ideológica do que eu imaginava: a liberdade era um casal de namorados, trocando beijos e abraços e suspiros, encostados no muro do quartel; era alguém que passou ouvindo um jogo de futebol num rádio de pilha; era uma voz de mãe chamando: "Carla, vem dormir"; era Carla respondendo: "Já vou, mãe!"; e era, finalmente, um bêbado que gritava de madrugada:

— Marta, por que você fez isso comigo, Marta?

Depois que o bêbado passou consegui dormir. Acordei com o toque da alvorada e os soldados marchando no pátio do quartel; meio dormindo, suspeitei que iria enfrentar um pelotão de fuzilamento; meio dormindo, decidi que, quando perguntassem qual era meu último desejo, eu diria:

— Meu último desejo é viver e amar a bela B.

Mas não fui fuzilado nesse dia, nem em dia nenhum; de forma que, depois do almoço (filé com fritas, feijão, arroz, tomate e um copo de leite), como estávamos proibidos de receber jornais, revistas e livros, o Camarada Dimas Perrin, já com os primeiros e insistentes fios brancos anunciando a cabeleira cor de prata que teria mais tarde, depois do golpe militar de 64 (quando, então, sim, o penduraram no pau de arara e o torturaram até confessar o que sabia e o que não sabia), propôs:

— Vamos fazer uma sessão de estudo político mentalizado.

Cada um de nós devia deitar de costas na cama e recordar trechos do livro *Dois passos para a frente, um para trás*, de Lenin; depois, de posse de nossas recordações, faríamos um debate. Ora, eu nunca tinha lido *Dois passos para a frente, um para trás*, nem nenhum outro livro de Lenin — assim, quando espichei na cama da cela, primeiro segui os movimentos de uma aranha, que é velha e constante companheira dos presos políticos do mundo; depois passei a recordar, uma a uma, as mulheres que de alguma maneira eu amei; desde a negra Das Dores, a cuja mão mágica devo o início de meu jogo sexual, nos bons tempos de Araxá, até a que realmente foi a primeira: chamava-se Alição, fazia a vida na pobre Zona Boêmia de Santana dos Ferros, e, ao me ver, com cara de menino, eu que enfrentei uma fila enorme até chegar diante dela, ali, na luz difusa de seu quarto (ela podia ser minha avó), foi tomada de súbita devoção e ordenou:

— Primeiro, menino, você ajoelha e reza uma ave-maria.

Obedeci. Depois, ela me puxou para a cama que gemia uma estranha canção e beijou meu rosto com seus lábios ásperos, que pareciam ter calos adquiridos no longo exercício da profissão; ainda deitado na cama da cela, esqueci Alição e torci inutilmente para um mosquito que, após tentar voar para a liberdade, caiu nas teias da aranha; então, percorri o corpo de pele muito branca de Maria Teresa, a quem, na verdade, não amei, apenas a via trocar de roupa pela veneziana da janela da casa de Tia Çãozinha e Tia Ciana, em Santana dos Ferros. Quando o Camarada Dimas Perrin iniciou o debate sobre *Dois passos para frente, um para trás*, eu recordava Neli, paixão dos anos de infância em cujas pernas eu aplicava injeção de água, em Araxá.

Já no terceiro dia de prisão comecei a pensar:

— E se quando eu sair daqui souber que meu pai morreu de desgosto?

No quinto dia, fui libertado.

Meu pai tinha pavor do comunismo e era americanófilo; mas não morreu ao saber que o filho estava preso como comunista, morreu algum tempo depois, não de desgosto, mas de enfarte. No conto *O rio é um deus castanho* fiz um relato inspirado em sua agonia — e ainda que transgredindo as boas normas literárias, vou publicá-lo a seguir:

1

Meu pai está morrendo dentro do quarto.

2

O quarto é escuro e meu pai está morrendo lá.

3

Aqui na sala estamos aguardando que meu pai morra.

4

Disse o médico que meu pai ia morrer antes das 8 da noite, mas já passa das 10 da noite.

5

No quarto onde meu pai está morrendo deitado numa cama, minha mãe é um vulto branco na cabeceira.

6

Às vezes meu pai grita.

7
Quando meu pai grita a vizinha do lado, que, quando passa deixa um rastro de alegria na rua e que está sentada no sofá aqui na sala, fica olhando para mim e eu sinto vontade de cantar, mas cantar é a última coisa em que eu devo pensar agora.

8
Ela é morena, falsa magra, talvez tenha vinte anos ou quando muito 23, seus olhos são de cor cinza e eu quero olhar para ela, mas olho para o chão.

9
Ela está sentada no sofá logo na minha frente e se meu pai não estivesse morrendo, eu podia olhar suas pernas.

10
Podia olhar seus joelhos quando ela cruza as pernas.

11
Podia olhar um pedaço das coxas.

12
Podia olhar seus ombros nus e morenos.

13
E sua boca, que tanta sede me dá, eu também podia olhar se meu pai não estivesse morrendo.

14
Mesmo assim olho para ela — disfarçadamente eu olho.

15
Ela acende um cigarro e eu gosto do jeito dela segurá-lo e de como engole a fumaça e depois a solta pelo nariz e pela

boca, ah eu quero beijar sua boca, mas escuto um gemido e me lembro que meu pai está morrendo.

16
Então ela me olha com seus olhos cinza e eu fico querendo cantar.

17
Tento pensar em meu pai.

18
Nunca, em toda minha vida, nem quando eu era criança, meu pai me abraçou, me beijou ou passou as mãos nos meus cabelos.

19
Não me lembro de vê-lo rir alguma vez.

20
Lá no sofá, a vizinha cruza as pernas — ela não devia fazer isso.

21
Eu podia dizer a ela que meu pai sempre foi um homem triste. Acho que ela ia entender perfeitamente.

22
Minha mãe sai do quarto onde meu pai está morrendo, para na minha frente e diz que ele está me chamando.

23
Todos na sala olham para mim e a vizinha me olha com seus olhos cinza e eu quero cantar, sim, eu quero cantar, e entro no quarto onde meu pai está morrendo.

24
Eu me ajoelho na cabeceira da cama e a mão de meu pai começa a tatear meu rosto no escuro do quarto, como

mão de cego. Como se seus dedos quisessem recordar para todo o sempre como é meu nariz, minha boca, minha testa. E meu pai fala:
— Meu filhinho!

25
Nunca meu pai me chamou assim, e agora que está morrendo ele repete:
— Filhinho.

26
Meu pai segura minha mão e pergunta se eu me lembro de quando caçávamos patos selvagens. Respondo que sim e meu pai ri e diz:
— A gente era feliz, não era?
Digo que sim e outra vez meu pai ri, ele está morrendo, e ri.

27
Deixo meu pai morrendo dentro do quarto e volto à sala e lá está ela, a vizinha, sentada no sofá como a magra bandeira da alegria; mas não é hora de ser alegre, e eu subo a escada que leva à parte de cima da casa, deito na cama, com a cabeça enfiada no travesseiro, e fico pensando em meu pai.

28
Escuto passos subindo a escada e imagino que alguém vem dizer que meu pai acaba de morrer.

29
Tiro a cabeça do travesseiro e olho: é a vizinha que vem chegando. Quero cantar, mas isso eu não passo e nem devo fazer.

30
Ela senta na cama e eu beijo sua boca de lábios ressecados.

31

Ela levanta-se, fecha a porta do quarto onde estamos e volta, e eu a abraço e beijo.

32

Eu a comparava aos anjos quando a via passar de manhã, mas agora que meu pai está morrendo e eu a tenho nos braços, suspeito que ela seja o demônio que veio me tentar.

33

Nus no quarto, eu e ela nos amamos.

34

O vento sopra uma aragem em nossos corpos nus e suados. Eu sinto na boca o gosto salgado da pele dela e digo que gosto do sal de sua pele. E ela diz: "O sal está na rosa silvestre". Pergunta: "Conhece T. S. Eliot?" Eu digo que não. E ela declama:
"Não sei muito acerca dos deuses.
mas creio que o rio é um deus castanho..."

35

Ela está abraçada comigo: sinto que ela é mesmo alguma coisa minha: minha mão, minha perna, minha boca, minha costela. E uma canção começa a cantar dentro de mim como uma festa, mas eu sei que não é hora de festa, afinal de contas meu pai está morrendo dentro do quarto.

0

A Bem da Verdade

É hora de esclarecer que, ao contrário do que diz o conto que vocês acabaram de ler, logo que deixei o quarto de meu pai,

não subi uma escada, desci; e fiquei esperando ouvir os pés de gata da vizinha de olhos cinza descendo a escada; dias depois eu iria fazer uma descoberta a respeito dela, que talvez conte, se tiver oportunidade; esclareço ainda: é bem provável que se fosse hoje meu pai não morresse; hoje não ficaria em casa esperando o segundo ataque do enfarte, como ficou; mas o Dr. Renato Pena, o cardiologista que o atendeu, era um homem fatalista, tinha perdido um irmão com uma doença coronária e disse a mim, que era o filho mais velho:
— Se vier o segundo enfarte, adeus.

A família toda foi chegando à casa da Rua Ceará, vinda de Santana dos Ferros, interior de Minas; vieram tios, tias, primos, primas — e o acontecimento mais aguardado, pelo que diziam Tia Çãozinha e Tia Ciana (com as quais fui, de certa forma, criado), era o momento em que meu pai iria me chamar no quarto onde estava morrendo para fazer um apelo dramático:
— Meu filho: prometa, na hora da minha morte, que você vai tirar essas ideias de comunismo da cabeça.

Eu mesmo temia que meu pai fosse fazer esse pedido. Uma noite, eu tomava uma sopa na copa da casa da Rua Ceará quando minha mãe aproximou-se e disse:
— Seu pai acordou sentindo uma dor muito forte no peito. Ele não sabe se é um sonho ou se é uma dor.

Não era sonho; era a dor e eu fui chamar o Dr. Renato Pena, que morava na casa vizinha à nossa. Ele anunciou: era o segundo e tão temido enfarte. Agora não havia mais nada a fazer. Teve início na família (tios, tias, primos, irmãos, parentes, amigos) a contagem regressiva para a chegada do momento em que meu pai, pouco antes de morrer, iria me chamar no quarto e pedir para eu deixar de vez o comunismo. Quando minha mãe saiu do quarto onde meu pai morria e disse "Meu filho, seu pai quer te ver antes de morrer", todos olharam para mim e Tia Çãozinha e Tia Ciana deram tapinhas no meu ombro, sussurrando: "Coragem!"; mas na hora eu só vi o teu olhar cor cinza, vizinha do lado — e de pernas bambas, caminhei para o quarto onde meu pai morria. Quando saí de lá fui cercado por todos, que perguntavam:

— O que seu pai te pediu? O que ele te pediu?

Eu ainda abraçava e beijava a vizinha quando meu pai apertou a mão de minha mãe e disse: "Muitas felicidades". E morreu.

O

Meu Tipo Inesquecível

(Devo agora, antes de começar a narrar o que na verdade é o objetivo principal deste relato, abrir um parêntese de todo indispensável: imagino que, nesse ponto, Tia Ciana deve ter fechado este livro e iniciado uma novena para o Menino Jesus de Praga salvar a alma deste seu sobrinho pecador; mas espero que Tia Çãozinha e vocês sigam lendo: mesmo porque, depois do enterro de meu pai no Cemitério do Bonfim, houve uma reunião na casa da Rua Ceará, sem que eu, meus irmãos e primos soubéssemos — nem minha mãe soube; uma reunião de tios e tias, convocada por Tio Asdrúbal, que fez uma proposta: deviam procurar minha mãe e convencê-la a deserdar o filho comunista. Na hora, Tia Ciana teve um desmaio (houve a suspeita de que o simulou), a reunião foi suspensa e quando recomeçou e Tio Asdrúbal repetiu sua proposta, outro tio meu disse de peito estufado:

— Vocês podem fazer o que estão querendo. Podem pedir para deserdar o comunista, como vocês dizem, mas antes — e aqui ele bateu no peito — vocês têm que passar por cima do meu cadáver!

Acaso meu Tio José Viana, que falou assim, era um esquerdista? Não. Era um democrata liberal? Não. De sua biografia constava: na época da Segunda Guerra apoiava Hitler, cuja fotografia trazia na carteira junto da foto da namorada, minha Tia Lúcia; era um camisa-verde, isto é, militava no Partido Integralista de Plínio Salgado, a quem tinha na conta de Deus; fazia anauês e tinha um inimigo na vida: o comunismo; no entanto, se um dia, como ainda espero que aconteça, a *Seleções do Reader's Digest* pedir a este escriba um artigo para "Meu tipo inesquecível", o personagem que vou escolher é o meu Tio José Viana porque, mesmo sendo um nazista confesso, na prática ele foi, não há dúvida, o maior democrata que conheci. Nas minhas férias, quando meu pai ainda era vivo, eu ia passear na fazenda de Tia Lúcia e de meu Tio José Viana. Quando eu apeava de seu melhor cavalo — o Chimarrão, que pertenceu a meu pai — e entrava na casa da fazenda, depois dos cumprimentos ele passava a minhas mãos um pacote com recorte de jornais e revistas simpáticos ao comunismo:

— Agora você lê para podermos discutir — dizia. — É para você ter argumentos e aguentar a discussão comigo.

De dia lia os recortes com avidez; de noite, como eu andava com medo de morrer, ficávamos discutindo, em meio aos berros das vacas, até de madrugada; isso, quando não íamos escutar as histórias do Seu Quim, um grande contador de casos que, fumando o cigarro de palha que fazia lentamente, ia contando e envolvendo a gente; suas histórias iam e vinham, não seguiam uma linha reta — e assim o Seu Quim nos seduzia. Agora que me proponho a contar o que realmente aconteceu naqueles anos, recorro à estratégia narrativa de Seu Quim. Se vocês lerem até o fim, e se sentirem agarrados e seduzidos, se tiverem prazer de ler, devem creditar tudo a ele. A ele que rompia com a noção do tempo tradicional e sempre deixava um mistério no ar.

A última notícia que tive de Seu Quim dava-o como mendigo profissional em São Paulo; fazia ponto na Avenida Paulista e era tão bem-sucedido que, todo ano, tirava férias e voltava à fazenda de meu Tio José Viana, levando presentes para todos. Fecho o parêntese).

1
Os Três Mosqueteiros

Na verdade este relato começa aqui, de maneira que os leitores são livres para fazer com as páginas anteriores o que bem quiserem; podem considerá-las ou não como parte deste livro e podem rasgá-las, destruí-las; dito isso, informo que certa manhã na casa da Rua Ceará, de que já falei, recebi um telegrama urgente de Tia Çãozinha; dizia:

"É verdade o boato que corre aqui?"
Respondi no mesmo tom:
"Boato que corre aí não corre aqui".

Antes de levantar algumas hipóteses de boatos que poderiam estar tirando o sono de Tia Çãozinha, é oportuno fazer um breve retrato dela; dela e de Tia Ciana, ambas irmãs de meu pai, as únicas que ficaram para tias, muito parecidas e ao mesmo tempo totalmente diferentes; a diferenciá-las, antes de tudo — as duas sendo católicas praticantes — o santo de fé. Tia Çãozinha era devota de Santo Antônio que, se não a fez casar com o homem que amava, tornou-a noiva eterna: há uns bons trinta anos Tia Çãozinha era noiva, um noivado que aos poucos foi se confundindo com as principais dores reumáticas, com a artrite no joelho esquerdo, com as tosses e os pigarros ao anoitecer — e com uma alegria que era como a brisa dos anos jovens: debruçar na janela (Tia Çãozinha tinha calos nos cotovelos) e ver surgir lá ao longe, na rua do lado de cá de Santana dos Ferros, o cabelo incrivelmente preto, como quando começaram a namorar, o noivo eterno que nós, os sobrinhos de Tia Çãozinha, chamávamos de Tio Pedro.

Já Tia Ciana, e não nego suas razões, rompeu relações com Santo Antônio quando perdeu o príncipe encantado logo para a prima que mais detestava; entregou-se toda, nas orações, nas novenas, nas promessas e oferendas, ao Menino Jesus de Praga. Falei ainda agora na rua do lado de cá de Santana dos Ferros — pois é: são apenas duas ruas que se enroscam como duas imensas, preguiçosas e tortuosas cobras nas margens do Rio Santo Antônio, um rio — previnam-se — traiçoeiro; uma ponte negra de madeira, que lembrava um trem de ferro atravessando o rio, ligava os dois lados. Hoje, é verdade, existe uma ponte de cimento que, se não tem a mesma poesia de sua antecessora, tem um dado importante: foi construída por meu pai, engenheiro dedicado a abrir estradas. Tia Çãozinha tem o costume de, toda primeira sexta-feira do mês, debruçar-se no parapeito da ponte e atirar flores como oferenda a Santo Antônio na água do rio que leva seu nome; e imaginem o que faz Tia Ciana: ali naquela mesma ponte, cospe nas águas de um claro esverdeado — isso quando as enchentes não as tornam barrentas — e resmunga entre os dentes, não para o rio, mas para o santo:

— Seu traidor de uma figa!

Receio que o que deveria ser uma leve e rápida pincelada — este perfil de minhas queridas tias — esteja alongando-se mais do que devia; apresso-me então em dizer, resumindo onde posso, que Tia Çãozinha e Tia Ciana — que moram numa casa tida como mal-assombrada — estão divididas não apenas no que diz respeito a Santo Antônio e ao Menino Jesus de Praga; também as dividiu o plebiscito, orientado pelo Padre Geraldo Cantalice, o novo vigário, para saber se deviam derrubar a velha matriz para erguer uma nova de ousadas linhas modernas. Santana dos Ferros dividiu-se então entre colorados e celestes

— os colorados (caso de Tia Çãozinha) adeptos da igreja moderna, os celestes (caso de Tia Ciana) defensores da igreja antiga. Tia Çãozinha usava um lenço vermelho no pescoço e cantou vitória — a velha igreja foi derrubada e uma nova, moderna, no feitio da igrejinha de Niemeyer na Pampulha, foi erguida, e aguardem: está para ser inaugurada.

Tia Çãozinha e Tia Ciana vivem em guerra fria: só fazem as pazes à noite, quando Tio Pedro vai embora deixando-as a sós e o medo dos fantasmas as une; a elas e a Joli, o intrépido cãozinho de estimação de Tia Ciana, ao qual minhas tias não conseguiram transmitir o medo de fantasmas; a referência a Joli deve ser acrescida de uma confissão: entre os grandes amigos que tive figura Joli; quando eu morava no casarão mal-assombrado de Tia Çãozinha e Tia Ciana e fui abandonado pela bela B. que não resistiu às pressões paternas (como certamente ainda vou contar), o que seria de mim sem a solidariedade de Joli? Uma madrugada, julguei ouvir a voz de Joli falar, com forte sotaque canino:

— Você tem que reagir, companheiro.

Tive então a certeza de que estava ficando louco e voltei a Belo Horizonte. Mas estou perdendo o fio da narrativa. O que eu deveria contar agora? Volto ao telegrama de Tia Çãozinha, do início deste capítulo — quando o li, pensei:

— Deve ser um boato envolvendo Os Três Mosqueteiros.

Os Três Mosqueteiros desta narrativa somos nós: Malthus, também conhecido como Santo; Aramel, o Belo; e eu; passamos a ser chamados de Os Três Mosqueteiros porque éramos os três únicos da quarta série ginasial na primeira turma de formandos do Ginásio Santanense; quando viemos fazer o científico em Belo Horizonte, lá se iam alguns anos (pois só bombas tomei quatro), ganhamos bota-fora com banda de música, lacrimoso discurso de despedida do Prof. Benedito e as bênçãos do Padre Nelson, o vigário; tudo isso nos pôs nos ombros uma enorme responsabilidade — talvez, daí, sonharmos tão alto: Malthus queria ser santo, orgulhava-se de ser casto e de jamais haver se masturbado, o que o dispensava do medo de ver nascer um fio de cabelo na palma da mão e da fila das confissões, pois comungava sem se confessar; Aramel, o Belo, o homem mais bonito que alguma vez existiu, queria ser galã em Hollywood e, já em Santana dos Ferros, aprendeu a falar inglês; e eu, bem, eu queria ser escritor, mas como a profissão não era bem-vista na família e no meio eu fingia que queria ser médico.

No dia em que o telegrama de Tia Çãozinha chegou, anos depois de nossa vinda para Belo Horizonte, o projeto de santidade de Malthus seguia a passos largos; daqui a pouco, por sinal, ele vai aparecer nesta narrativa e vocês o verão usando o hábito branco de frade dominicano. É Frei Malthus. Ora, como ainda não havia boatos colocando em jogo a santidade de Frei Malthus, o telegrama de Tia Çãozinha só poderia ter como suspeitos Aramel, o Belo, e este escriba; nós dois, como se verá, éramos bons alvos para boatos. Já Frei Malthus nos próximos dias seria notícia em todos os jornais, mas agora eu fico pensando (e não é para acender a chama da curiosidade de Tia Çãozinha por este relato): a santidade de Frei Malthus iria correr sério risco ao sofrer o primeiro desafio — um belo, um lindo, um inesquecível desafio.

Mas isso fica mais para a frente.

2

Ao Som de Frank Sinatra

Talvez, já que Frei Malthus mantinha intacta até então a santidade que tanto defendia, entre Os Três Mosqueteiros o objeto dos boatos fosse mesmo Aramel, o Belo, pelo estranho tipo de atividade — muito bem remunerada — que exercia. Diga-se antes que o pai de Aramel, o Belo, dilapidou no Cassino da

Pampulha, quando o filho ainda era criança, a fortuna deixada pelo sogro; desde então tornou-se "marido de professora"; e usando um robe de chambre indiano, única recordação dos anos ricos, punha Frank Sinatra para cantar na radiola e decretou, mais com a autoridade que a suspeita de um enfisema pulmonar conferia, do que com a autoridade paterna e de chefe de família:

— Aqui nesta santa e abençoada casa, enquanto Frank Sinatra estiver cantando, não entra notícia ruim.

Como Frank Sinatra cantava de manhã à noite, as doenças e as mortes na família, as catástrofes, as guerras e até mesmo o tiro que Getúlio Vargas deu no peito não penetravam naquela casa; é fácil adivinhar que Aramel, o Belo, detestava Frank Sinatra tanto quanto detestava o pai:

— Eu não sei o que a Ava Gardner viu nesse nanico — dizia nos momentos de fúria. — E Bing Crosby é muito melhor cantor do que ele.

Tia Çãozinha, que, disso tenho certeza, está lendo este relato, dirá neste ponto com malcontida impaciência:

— Para de bancar o Hitchcock: conta logo o que Aramel, o Belo, está fazendo!

3

Já Que não Nacionalizei a Esso

Ao ler o telegrama de Tia Çãozinha fui tomado pela seguinte suspeita:

— E se ela ficou sabendo que nacionalizarei meu nome?

Meu nome de batismo, tal como dizia minha ficha no Dops, é Robert Francis Drummond; nunca gostei de meu nome; para começar, logo que cheguei a Belo Horizonte fazia grande sucesso nos cinemas um mulo que falava; e sabem como se

chamava? Era Francis, o mulo que falava, e essa coincidência custava-me terríveis e repetitivos aborrecimentos quando os professores do Colégio Santo Antônio faziam a chamada:
— Robert Francis Drummond.
— Presente — eu respondia, em meio à onda de gargalhadas.
No ano seguinte, quando troquei o Santo Antônio pelo Arnaldo, que também era um colégio de padres, não tão liberais quanto os franciscanos, eu sofria com o mesmo problema: ter que aturar as gargalhadas quando os professores chamavam meu nome; eu pensava:
— Tenho que encontrar uma maneira de me livrar deste "Francis" no meu nome.
Era, por sinal, o apelido de meu pai — nascido Francisco de Alvarenga Drummond — que ele incorporou ao sobrenome dos três filhos homens. Quando fui estudar no Arnaldo, deixei o semi-internato do Colégio Santo Antônio, numa casa da Rua Pernambuco, e fui morar numa rua mitológica: a Rua da Bahia, exaltada então num grande sucesso carnavalesco de Rômulo Paes e Gervásio Horta:

"Ê, ê, Maria
ta na hora de ir pra Rua da Bahia..."

Morava em frente à Biblioteca Municipal, ao lado do célebre Grande Hotel, em cuja porta, um dia, trêmulo de emoção, esperei pelo romancista Jorge Amado para pedir seu autógrafo. Foi atravessando a Rua da Bahia toda tarde para ler Jorge Amado, José Lins do Rego e Graciliano Ramos na Biblioteca Municipal que me tornei simpatizante comunista; mais tarde iria militar no crescente movimento nacionalista, depois da vitoriosa campanha do "petróleo é nosso"; participava de assembleias e manifestações, algumas dissolvidas pela polícia, como era costume, com bombas de gás lacrimogêneo. Tentei nacionalizar a Esso, a Shell, a Bond and Share, a Nestlé, a Philips, etc., etc.; como não consegui, decidi:

— Vou nacionalizar meu próprio nome.

Abrasileirei o Robert para Roberto, eliminei o Francis tão incômodo e quando, enfim, entrei para a Juventude Comunista com tanta insistência que suspeitaram que eu fosse um "agente da reação" querendo se infiltrar, assinava apenas Roberto Drummond; e tinha uma carteirinha de militante com meu nome — trazia a foice e o martelo na capa e as iniciais UJC (União da Juventude Comunista). Os companheiros tinham prevenido:

— Guarde a carteirinha em casa bem guardada. Não ande com ela no bolso em hipótese alguma que o Sarmento te pega.

Mas não segui o conselho e por pouco não me dei mal.

4

COMENDO CRIANCINHA ASSADA

Querem saber o que aconteceu? Sigam meus passos: o rapaz magro, de camisa esporte e andar apressado que caminha pela Avenida Paraná nesta noite de sábado sou eu; a Tia Ciana aconselho: pule esta parte e só volte a ler a partir do capítulo 5º; mas a Tia Çãozinha, com sua alma de Candinha, e a vocês, leitores, uma boa surpresa espera, por isso não me percam de vista; se observarem bem, vão notar que fumo um cigarro atrás do outro — é sinal de que consegui algum dinheiro para comprar meu tão amado Continental; não, esta noite não fumo *se-me-dão*, e se ando tão apressado é porque estou indo à caça de mulheres — procuro, nas regiões mais escuras da Avenida Paraná, uma mulher, mas não uma mulher qualquer: esta noite quero uma negra que me faça lembrar Das Dores, a que me iniciou numa tarde de loucuras em Araxá; esta noite quero sentir o cheiro da mãe África, quero sentir o calor afro-brasileiro das coxas negras de Das Dores. Mas por enquanto — vocês hão de ter observado — só encontro louras oxigenadas ou jambetes ao longo da Avenida Paraná. Eis que, na esquina com a Rua Tamoios, perto da sede do todo-poderoso Sindicato dos Bancários, o quartel-general das greves da época, uma mulher negra está parada; me aproximo e ela sorri; tem grandes olhos negros, grossos lábios, lisa é sua pele negra, e eu a abraço e ela diz que mora na Rua Mauá.

A Rua Mauá era muito perigosa; os jornais estavam sempre falando no "conto do suadouro" com que suas mulheres atacavam inocentes fazendeiros vindos do interior de Minas; esquecido disso e de que levava no bolso da calça minha carteirinha de membro da Juventude Comunista, entrei no lotação ao lado de minha caça e descemos na Rua Mauá; vejam: entramos numa casa de luz vermelha — e eu a amei como se amasse Das Dores, nos idos de Araxá. Na hora de receber, ela achou pouco o que eu oferecia — já vestida, sacou uma navalha, ficou de costas para a porta do quarto de forma que eu não pudesse sair e ordenou:

— Passa a grana pra cá.

— É tudo que eu tenho — eu disse.

— Me dá tudo — e ela pegou o que eu tinha no bolso e encontrou a carteirinha de membro da Juventude Comunista.

— Ah — ela disse depois de soletrar. — Fica bonzinho e passa toda a grana pra cá ou eu te entrego pros tiras.

Propus um acordo: ela ficava com minha carteira de membro da Juventude Comunista como refém e eu ia em casa buscar mais dinheiro ou um objeto valioso. Concordou. Só consegui trazer a caneta Parker 51 que tinha herdado de meu pai. A cena se repetiu: entrei no quarto, ela ficou com a navalha na mão, encostada na porta, e olhou a caneta que eu exibia.

— A tampa é de ouro puro — menti.

Sem se afastar da porta do quarto e ao mesmo tempo em que segurava a navalha, examinou a caneta, viu gravado o nome "Francis", de meu pai, pegou a caneta e guardou junto aos ondulantes seios negros; então, só então, devolveu a carteirinha de

membro da Juventude Comunista e ainda segurando a navalha e barrando meus passos junto à porta fechada perguntou:
— O amizade é mesmo comunista?
— Sou — respondi.
— E come criancinha assada?
— Como — respondi.
— A carne é gostosa?
— Muito gostosa.
— Parece carne de quê?
— Carne de gente mesmo.
— E a carne de gente é gostosa?
— É a carne mais saborosa que existe — completei.

Por um momento, com a navalha na mão, ela fixou em mim seus grandes olhos negros: parecia considerar a possibilidade de, naquela nervosa noite de sábado, experimentar o sabor da carne humana; mas seus propósitos antropofágicos cederam à necessidade de atender outro cliente — e ela abriu a porta e deixou que eu fosse embora.

5

Ganhando meu Pão, aliás, meu Cigarro

Imagino a impaciência com que Tia Çãozinha deve estar dizendo:
— Se um santo, no caso Frei Malthus, terá a sua santidade ameaçada por "um belo e lindo desafio", como foi dito, é a respeito disso que quero ler a seguir.

Eu poderia aconselhar a Tia Çãozinha e aos leitores igualmente curiosos e apressados: pulem as páginas e vejam as tentações que o bom e ainda santo Frei Malthus vai sofrer;

mas para falar a respeito — deixo Aramel, o Belo, para mais adiante, para a hora realmente oportuna — tenho antes que dizer que uma greve estudantil e meu sobrenome Drummond conseguiram para mim um lugar como foca na *Folha de Minas*. Eu era do comando de greve e como os jornais da época em Belo Horizonte eram muito conservadores, reacionários mesmo, como dizíamos, e não mandavam cobrir as greves, íamos de redação em redação levando as notícias.

A *Folha de Minas* ficava na Rua Curitiba em frente ao cine Art Palácio, famoso por seus festivais como a retrospectiva sobre o neorrealismo, quando fiquei deslumbrado com o *Milagre em Milão*, de De Sica e Zavattini, e dormi durante a sessão das 10 em que foi exibido *Umberto D* e sabotei a exibição de *Roma*, cidade aberta porque nunca perdoei Roberto Rosselini pelo que aconteceu com Ingrid Bergman.

Para chegar à redação da *Folha de Minas* era preciso subir uma escada em que só cabiam dois homens magros, mas, como ainda vou contar, mal cabia um homem gordo; quando a subi pela primeira vez, junto de quatro companheiros do comitê da greve dos estudantes, não poderia imaginar que voltaria a subir aqueles degraus cheirando a mofo, voltaria a passar pelo preto velho que cochilava sentado numa cadeira, e trabalhar ali. O preto velho era o porteiro e quando subimos a escada no primeiro dia da greve geral dos estudantes, acordou assustado e nos olhou como quem não acreditava: afinal, não era comum tanta gente subir aquela escada, a *Folha de Minas* pertencia ao governo do Estado e era um jornal que agonizava, vivia em estado de penúria, atrasava o pagamento da redação — e do preto velho da portaria — durante seis meses.

Ao nos ver, já no território deserto da redação onde velhas máquinas Remington pareciam abandonadas, um repórter agitado que eu conhecia das fotografias em que aparecia ao lado de seus entrevistados na *Folha de Minas*, como era costume na época, veio alegremente a nosso encontro; usava paletó xadrez, camisa esporte marrom com o colarinho abotoado, mas sem

gravata, calça preta; seu cabelo era preto e curto, e quando soube o que nos trazia ali, na redação vazia, abriu os braços em festa.
— Viva! — gritou. — Temos uma greve!
Puxou uma cadeira, pegou uma lauda de papel, tirou a caneta do bolso, olhou para nós e perguntou:
— Como vocês se chamam?
Quando eu disse meu nome, ele falou:
— Eu sou Felipe Hanriot Drummond. Você é Drummond de onde?
— De Santana dos Ferros — respondi.
— É dos Drummond de Itabira?
— Sou.
— Então você é meu primo. Quer trabalhar aqui na *Folha*? Estamos precisando de um repórter para cobrir os acontecimentos estudantis.
Na tarde do dia seguinte, quase sem acreditar, subi aquela mesma escada para entregar a coluna "Vida estudantil", que passava a ser publicada diariamente, mas pela qual nada recebia. Trabalhei de graça quatro meses e, então, tendo Felipe Hanriot Drummond como padrinho, fui contratado como repórter pela *Folha de Minas*. O salário atrasava seis meses e eu pedia dinheiro emprestado, que nunca paguei, à minha mãe e, assim, pela primeira vez na vida, se não ganhei meu pão, como Gorki, pude comprar os dois maços de Continental que fumava por dia, ainda que não dispensasse o *se-me-dão*.

6

Um Flash Sobre o Santo

Como aperitivo para os fatos picantes, e mais do que picantes, emocionantes, que estão por vir, um flash sobre o nosso candidato a Santo — naqueles dias, Frei Malthus estava muito atarefado no Convento dos Dominicanos. Ensaiava o coral Os Meninos Cantores de Deus, velha e querida ideia ainda dos idos de Santana dos Ferros, cuja estreia, como veremos, tomou um rumo surpreendente; era o idealizador, fundador, diretor, maestro, e seu sonho era de que todos que ouvissem o coral cantar — daí o trabalho exaustivo que tinha — passassem a acreditar na existência de Deus.

— Seus dias de ateu estão contados — disse na tarde em que me convocou ao Convento dos Dominicanos, preocupado com o tipo de atividades de Aramel, o Belo. Quando você ouvir Os Meninos Cantores de Deus, como o filho pródigo, voltará à casa de Deus.

Se Frei Malthus não tinha dúvidas e crises? — perguntará Tia Çãozinha; tinha e não eram poucas, mas as resolvia degustando a geleia de jabuticaba feita por Dona Nhanhá, sua mãe, exímia doceira, cozinheira e banqueteira; dessa maneira, quando a guerra entre os dois Malthus, o Santo e o pecador, parecia anunciar a vitória do pecador e devasso — ao contrário de outros dominicanos que se autoflagelavam chicoteando o próprio corpo, Frei Malthus punha duas ou três colheres de geleia de jabuticaba na boca e o Santo vencia.

Preocupava-o, sim, e muito, uma circunstância: era um Santo que ainda não tinha feito sequer um milagre — apenas derrotava as tentações da carne; mas vamos deixar Frei Malthus com sua preocupação, que reaparecerá mais adiante, e acompanhar o jovem foca que eu era — é a partir daí que vocês conhecerão Hilda Furacão.

7

A Cidade das Camélias

Nos meus primeiros dias como repórter da *Folha de Minas* eu saía a pé para fazer as coberturas — pois o jornal não tinha carro — na companhia de Felipe Drummond; era uma espécie de beabá prático de jornalismo, num tempo em que não havia curso de comunicação e eu aprendia a entrevistar, a apurar os fatos, a cobrir os acontecimentos. As primeiras lições foram sobre o aumento do leite, a ameaça da falta d'água, uma ou outra greve — e eu sonhava cobrir uma guerra ou uma guerrilha, tal como um de meus heróis de então, Ernest Hemingway.

Bom, não aconteceu guerra nem guerrilha, mas surgiu um tema apaixonante e eu tinha a ilusão de que estava num front: a ideia de criar a Cidade das Camélias em Belo Horizonte; os jornais abriam generosos espaços para um assunto que foi apaixonando, dividindo, roubando nosso sono: a ideia era tirar a Zona Boêmia do coração de Belo Horizonte, ali, onde a Rua Guaicurus era o centro das atenções, e levar prostitutas, hotéis, pensões, bares e até mesmo o mitológico Montanhês Dancing e o não menos mitológico Maravilhoso Hotel (o templo erótico onde Hilda Furacão enfeitiçava os homens) para a Cidade das Camélias, que seria construída longe, na periferia. A *Folha de Minas* dava duas páginas diárias, e eu dividia a cobertura com Felipe Drummond e só ia em casa dormir, almoçava e jantava um *caol* no Café Palhares, que não ficava longe da *Folha* nem da Zona Boêmia; tão empolgado, que costumava passar as noites conversando no Montanhês Dancing, Felipe Drummond dizia:

— Estamos dando um banho e fazendo a melhor cobertura sobre a Cidade das Camélias.

Fazíamos enquetes de rua, as primeiras e ainda rudimentares pesquisas eram realizadas — mostravam que 85% da população de Belo Horizonte eram favoráveis à criação da Cidade das Camélias; e uma maquete da futura Cidade das Camélias, lembrando uma cidade liliputiana, podia ser vista durante o dia na Esquina dos Aflitos diante do Café Pérola, na Praça Sete, onde quem quisesse podia assinar o grande manifesto que seria entregue à Câmara Municipal pedindo a aprovação do projeto. Certos pontos eram nebulosos, por exemplo: quem, afinal, estava por trás da criação da Cidade das Camélias? O vereador comunista Orlando Bomfim Junior denunciou:

— A Cidade das Camélias não passa de uma brutal e cruel especulação imobiliária.

E prometeu dar o nome de quem estava por trás de tudo enquanto o líder da bancada do PDC, o Padre Cyr Assumpção, autor do projeto, aparteava:

— Estamos diante da vontade expressa de Deus. E em matéria de Deus Vossa Excelência não é um expert.

A Liga de Defesa da Moral e dos Bons Costumes, presidida por Dona Loló Ventura, viúva cinquentona e gorda que pintava os cabelos de azul-claro, liderava a campanha a favor da Cidade das Camélias. Todos opinavam; todos, menos a parte mais interessada: as prostitutas.

Por aqueles dias, a Zona Boêmia vivia uma fase de esplendor, lembrava os tempos mitológicos do Cabaré de Madame Olímpia, os hotéis de mulheres, pobres e ricos, apinhados de homens entrando e saindo, o Montanhês Dancing entupido, ah, e estavam de volta os coronéis do interior que tinham batido asas desde o fechamento dos cassinos e o fim da febre do gado zebu; eram eles que faziam a fortuna do Montanhês Dancing, novamente fumavam charutos feitos com notas de mil, dançavam a noite toda consumindo dez cartões de furar. O folclore da Zona Boêmia corria por conta de Maria Tomba Homem e do travesti Cintura Fina; enorme, quase um metro e noventa de altura, mulata, grossos e sensuais lábios, Maria Tomba Homem virava homem quando alguém cantava ou solfejava o refrão de um incômodo sucesso musical gravado por Emilinha Borba e por Luiz Gonzaga:

"Paraíba, masculina
muié macho, sim sinhô..."

Para prender Maria Tomba Homem nas noites de lua, quando dava nela uma tristeza de cão, eram necessárias de quatro a cinco radiopatrulhas; ela fazia ponto na Rua Guaicurus, nas vizinhanças do Montanhês Dancing, e durante o dia, coitada, quando a Zona Boêmia transformava-se em região comercial, descarregava sacos de café de caminhões, trabalho de estivador, para garantir o *caol* no Café Palhares porque, apesar de seus olhos sensuais, os homens a temiam e ai de Maria Tomba Homem se, ultimamente, não se sabe quem (diziam que Hilda Furacão) pagasse o aluguel do quarto de fundos, vizinho do Arrudas, onde vivia. Maria Tomba Homem e o travesti Cintura Fina disputavam o território da Rua Guaicurus, entre as divisas das Ruas São Paulo e Curitiba, ali, onde ficava o Montanhês Dancing e, ao lado dele, o célebre Maravilhoso Hotel.

Grandes, chorosos olhos castanhos, cicatrizes feitas por golpes de navalha no rosto, um sotaque cantado, lembrança do Recife, de onde veio, um outro baião de Luiz Gonzaga era o hino do travesti Cintura Fina:

"Vem cá cintura fina
cintura de pilão
cintura de menina
vem cá meu coração..."

Para evitar as brigas entre Maria Tomba Homem e Cintura Fina, uma radiopatrulha ficava parada nas imediações do Montanhês Dancing; uma noite presenciei uma cena inesquecível: vi os guardas-civis tentarem separar uma briga entre Maria Tomba Homem e o travesti Cintura Fina, fazendo explodir as bombas de gás lacrimogêneo usadas para dissolver as passeatas estudantis da época, que tanto agitavam a Praça Sete; nessa noite, no entanto, Maria Tomba Homem uivava tristezas e Cintura Fina provocou-a, cantando:

"Paraíba, masculina
muié macho, sim sinhô."

Foram inúteis as bombas de gás lacrimogêneo: Cintura Fina, com sua navalha voadora presa a um barbante, Maria Tomba Homem com as flechas de bambu que usava — ele e ela já sangrando, lágrimas nos olhos por causa do gás lacrimogêneo, os guardas-civis pedindo a ajuda de novas radiopatrulhas, os dois iam se matar aos poucos. Foi então que Hilda Furacão apareceu; não, não a descreverei agora, isso virá a seu tempo, como a brisa de abril; por enquanto, direi que era acompanhada por um séquito de coronéis do interior que estavam na fila esperando sua hora de sonhos; colocando-se entre Maria Tomba Homem e Cintura Fina, alvo para as navalhadas e as flechadas, só com sua presença mágica parou a briga; ela dizia, a voz rouca provocando arrepios:

— Meninas, aqui tem lugar para todas. Maria do Socorro (ela nunca a chamava de Maria Tomba Homem) me dá o arco e as flechas (e foi docemente atendida). Cintura Fina, agora me entrega a navalha voadora (no que também foi docemente atendida). E agora me acompanhem até meu quarto que eu vou fazer um curativo nocês.

Sim, falou "nocês", mas com muito encanto — e na hora chorava por causa do gás lacrimogêneo ou da emoção que tornava sua voz rouca, herança de sua mãe italiana.

8

Go Home, Hilda Furacão

Todas as noites, menos às segundas-feiras, quando tomava destino ignorado, como diziam, uma fila começava na Rua Guaicurus, subia as escadas do Maravilhoso Hotel, chegava ao terceiro andar, espremia-se pelo corredor e parava na porta do mitológico quarto 304, o dos fundos, gêmeos com o quarto

303; era lá que Hilda Furacão fazia a loucura dos homens. Já no corredor sentia-se o cheiro adocicado do perfume preferido por Hilda Furacão: o Muguet du Bonheur. Foi criada a Noite dos Coronéis às sextas-feiras, reservada só para eles, que vinham do interior com seus charutos feitos de notas de mil, e foi tanto o sucesso que uma segunda Noite dos Coronéis, aos sábados, também foi lançada.

As mulheres de Belo Horizonte, as mães de família, as esposas, as noivas, as namoradas odiavam Hilda Furacão, mas os homens, ah, os homens a amavam, ela os fazia subir pelas paredes e conhecer o paraíso; daí, e a concorrência desleal dos coronéis fazia a cotação subir, o câmbio de Hilda Furacão ser tão alto.

Se Hilda Furacão era a principal razão de ser da Zona Boêmia, como mito sexual de Belo Horizonte, era também o motivo número um pelo qual as mães de família aderiram à campanha do Padre Cyr e de Dona Loló Ventura a favor da Cidade das Camélias.

Nas marchas a favor da Cidade das Camélias, Dona Loló Ventura e as mal-amadas, como eram conhecidas as militantes do Clube da Lanterna, devotas de Carlos Lacerda (à frente, Dona Lucianara Mendes, os olhos prometendo abismos), carregavam estranhos cartazes que diziam:

"Go home, Hilda Furacão!"

ou:

"Deixe nossos maridos em paz, Hilda Furacão!"

Fica para outra hora, se houver espaço, a publicação do texto "Invocação para exorcizar um demônio que se disfarça de anjo para tentar os inocentes", lido em todas as igrejas e atribuído, segundo as más línguas, à brilhante pena do jornalista Hermenegildo Chaves, o Monzeca, editorialista do *Estado de Minas* e diretor da *Folha de Minas*; e deixo um aviso, dirigido em especial a Tia Çãozinha: está sendo organizada a Noite do Exorcismo, durante a qual a Rua Guaicurus e seus templos de pecado serão borrifados com água benta, e foi feita uma promessa: Hilda Furacão será exorcizada para libertar o anjo que ela foi no tempo das missas dançantes do Minas Tênis Clube, quando era conhecida como a Garota do Maiô Dourado, e expulsar de vez o demônio que tomou conta de seu coração.

9

O Mistério da Garota do Maiô Dourado

Mas qual era mesmo o mistério da Garota do Maiô Dourado?

O que a levou a deixar a beira da piscina do Minas Tênis Clube, frequentado pela tradicional família mineira, a célebre TFM, e ir fazer os homens subir pelas paredes na Zona Boêmia de Belo Horizonte?

Ela era uma bela, inesquecível moça; ficava na beira da piscina olímpica do Minas Tênis Clube, onde o futuro escritor Fernando Sabino bateu recordes como campeão de natação; onde mergulhou um jovem que seria o famoso cirurgião plástico Ivo Pitanguy. Dizem que na época ganhou uma ode feita pelo poeta Paulo Mendes Campos e inspirou um conto (ainda que ele negue) de Otto Lara Rezende.

Na verdade, a bela Hilda Gualtieri Von Echveger, mãe italiana, pai alemão, era não apenas a grande atração na beira da piscina olímpica do Minas Tênis, sempre com seu maiô dourado; era a atração também das missas dançantes, contam os que viveram naqueles tempos, atração onde fosse, porque era mesmo a alegria dos homens. Tão bonitas quanto ela, só as irmãs Terezinha e Sônia Vargas. E como solista do coral do

Minas Tênis Clube, quando cantava em alemão a *Ave Maria*, de Schubert, dava nos homens uma vontade de chorar — e tecendo seu mistério ficava uma interrogação no ar, misturada ao perfume Muguet du Bonheur: "O que veio fazer no mundo a Garota do Maiô Dourado?"

Havia, nessa época, a suspeita de que veio por delegação de Deus, mas... e depois?

Depois, no dia 1º de abril de 1959, correu a notícia na qual obviamente ninguém acreditou, todos pensaram que fosse "um 1º de abril": a Garota do Maiô Dourado havia deixado a beira da piscina do Minas Tênis Clube e as missas dançantes e agora estava no quarto 304 no Maravilhoso Hotel, na Rua Guaicurus, coração da Zona Boêmia de Belo Horizonte. Aos poucos, com o passar dos dias e a ausência da Garota do Maiô Dourado na beira da piscina e nas missas dançantes do Minas, a notícia se confirmou — e ficou em cada um uma pergunta: "por quê?"

Fiz essa mesma pergunta — "por quê?" — a quantos conviveram com a Garota do Maiô Dourado; alguns pontos geraram controvérsias: uns diziam que o pai dela, descendente de um barão alemão, tinha perdido tudo que possuía nas noitadas do jogo do Automóvel Clube, o que outros negavam:

— Ele nunca pôs os pés no Automóvel Clube.

A hipótese de que uma falência do pai tinha causado tudo era de difícil confirmação porque "depois do escândalo", como diziam (pois foi um escândalo), o pai alemão e a mãe italiana da Garota do Maiô Dourado venderam a casa no tradicional Bairro de Lourdes e "tomaram destino ignorado"; quanto à casa estar sob hipoteca no Banco da Lavoura, eu próprio investiguei e soube: não era verdade. Se não era necessidade financeira, acaso algum desgosto amoroso explicava tudo?

— Oh, não. Esqueça isso. Ela enlouquecia os homens desde os 15 anos, quando o primeiro namorado suicidou-se por sua causa.

Infelizmente, não tive acesso ao estudo psicanalítico em que, recorrendo a Freud, o psiquiatra Hélio Pellegrino (cujo divã de analista a Garota do Maiô Dourado frequentou ainda em Belo Horizonte) fazia uma análise profunda das razões que a levaram à Zona Boêmia; mais tarde, como se verá, conversei a respeito com Hélio Pellegrino.

De tudo mais que apurei, junto a ex-amigas, ex-namorados e admiradores que, no futuro, eu voltaria a procurar, faço a seguir uma lista:

• Ela era dada a súbitas tristezas — em geral seu riso italiano, que na alegria saiu à mãe, convertia-se em tristeza — e chorava.

• Comungava toda primeira sexta-feira do mês na Igreja de Santo Antônio.

• No carnaval brincava as três noites sozinha em cima de uma mesa, fantasiada quase sempre de havaiana nos bailes do Minas Tênis Clube.

• Certa ocasião, estando três namorados — todos nadadores do Minas Tênis — disputando-a, disse a eles:

— Está muito bem, serei a namorada exclusiva do que conseguir nadar vinte mil metros na piscina olímpica.

• Como nenhum alcançou os vinte mil metros, passou a namorar o mais feio frequentador do Minas Tênis Clube.

• Nas missas dançantes escolhia só os rapazes feios para par, e dizia:

— Eu amo os deserdados do mundo.

10

Um Desafio aos Sherloques

(É necessário, mais uma vez, interromper esta narrativa para dar uma pista: Hilda Furacão ou, como quiserem, a Garota do Maiô Dourado, não é apenas uma personagem complexa

— é, em si mesma, como direi, uma complicada trama; pede sherloques, pede analistas freudianos e não-freudianos para desvendá-la, pede repórteres, e é um desafio; prometo, no decorrer desta narrativa, tentar responder à pergunta:

— Por que a Garota do Maiô Dourado trocou o Minas Tênis Clube pela Zona Boêmia?

Até lá, no entanto, que tal fazermos um jogo, já que este não é propriamente um romance, mas um brinquedo lúdico, tendo Hilda Furacão como centro de tudo? Sem esquecer: o maior entendido na Garota do Maiô Dourado, que sabe tudo a seu respeito, nada nos pode revelar: é seu antigo confessor, o Padre Aguinaldo, da Igreja de Santo Antônio; no momento oportuno vou procurá-lo, podem aguardar.)

11

O Jogo dos Sete Erros

Se acontece um crime logo surgem as pistas e as suspeitas, por mais misterioso que seja; no caso de Hilda Furacão, de sua ida para a Zona Boêmia, tenho até aqui suspeitas que quero repartir com os leitores através do jogo dos sete erros, só que com palavras e não com desenhos, nos quais Tia Çãozinha é viciada; darei a seguir sete pistas, falsas e verdadeiras, sobre o mistério Hilda Furacão; numerem de um a sete as que vocês acharem mais plausíveis para esclarecer o mistério de sua ida para a Zona Boêmia:

• Hilda Furacão sofre de um sadomasoquismo doentio e incurável, por isso é que, como falam, "desceu a ladeira" e foi para a Zona Boêmia.

• Ela adora se fazer de vítima e foi para a Rua Guaicurus exclusivamente por uma compulsão que Freud explica.

• No fundo do coração, Hilda Furacão é profundamente religiosa e deu a si mesma a penitência de ser prostituta.

• Ela ficou muito traumatizada quando, aos 15 anos, o primeiro namorado suicidou-se por sua causa e desde então decidiu punir-se optando, mais tarde, por ser prostituta.

• Tudo não passou de uma necessidade financeira: o pai da Garota do Maiô Dourado, ao contrário do que parecia, vivia grandes dificuldades.

• Hilda Furacão tinha grande competição com as primas, por isso, para ficar mais rica que elas, foi para o Maravilhoso Hotel depois de tentar inutilmente ganhar na Loteria Mineira.

• Uma vidente disse a ela: para você ser feliz e encontrar o seu príncipe encantado terá que sofrer mais do que a Gata Borralheira, porque sua madrasta será a própria vida.

Há outras pistas ou suspeitas além das que levantei? Certamente sim, de forma que deixo a seguir um espaço em branco para que os leitores anotem suas suspeitas e, mais tarde, com o desenrolar dos acontecimentos, possam ver se acertaram ou erraram.

Aqui termina o espaço reservado às anotações dos leitores; espero que tenha sido suficiente inclusive para minha querida Tia Çãozinha, que costuma ser prolixa.

12

O Feitiço Contra o Feiticeiro

Volto a meu trabalho como repórter da *Folha de Minas*: a orientação de Felipe Drummond não poderia ter sido melhor: eu e o fotógrafo Demétrio Barbosa (sempre de paletó e gravata, o que não era comum na época) deveríamos fazer plantão permanente na Zona Boêmia; isto é, a partir das 6 da tarde, quando os armazéns fechavam as portas e as primeiras mulheres, com ar de banho tomado, chegavam aos passeios em frente aos hotéis e pensões. Os partidários da Cidade das Camélias prometiam uma grande manifestação na Rua Guaicurus e podiam chegar lá de repente. Recordo que um de meus primeiros despachos da Rua Guaicurus era uma vinheta que peço licença para transcrever:

"O feitiço volta-se contra o feiticeiro. Desde que foi lançada a campanha a favor da Cidade das Camélias, a Zona Boêmia é um promontório da alegria. Sugere os últimos dias de Pompeia. Tudo lá é encantado. A rua principal, a Guaicurus, conhece noites inesquecíveis. E nunca se viu tanto dinheiro. O vendedor de churrasquinho triplicou as vendas. No Restaurante Bagdá, especialista em comida árabe, é preciso disputar um lugar. As mulheres dos hotéis de primeira, segunda, terceira e quarta categorias jamais foram tão solicitadas. E na noite da última quinta-feira, a polícia foi chamada para conter os ânimos dos que disputavam um lugar na fila que vai dar num território mágico: o quarto 304, no terceiro andar do Maravilhoso Hotel onde Hilda Furacão é uma fada sexual."

13
Bolívia, Capital Lima

— E Frei Malthus, nosso candidato a Santo: o que andara fazendo nesse meio tempo?

Imagino que Tia Çãozinha, com seu coração de Candinha, e os leitores (por que não?) estejam formulando essa pergunta; mas devo fazer mistério, por enquanto — na verdade, crescia a campanha pela Cidade das Camélias e ao mesmo tempo contra a Zona Boêmia e Hilda Furacão. Depois de algum suspense, Dona Loló Ventura, da Liga de Defesa da Moral e dos Bons Costumes, convocou os filhos de Adão e Eva para a grande manifestação em pleno território inimigo, no próprio coração do pecado, a Rua Guaicurus. E o movimento acabava de ganhar uma grande adesão: a do bispo Dom Cabral, na sua cadeira de rodas; ele, que colocou no índex a igreja moderna da Pampulha que Juscelino Kubitschek construiu quando prefeito, porque o autor do projeto — Niemeyer — e o autor dos murais — Portinari — eram comunistas; numa entrevista coletiva, a que Felipe Drummond e eu estivemos presentes, no Palácio Cristo Rei, Dom Cabral apoiou a construção da Cidade das Camélias e acusou a Zona Boêmia de ser uma sucursal do pecado; causou furor, no dia seguinte, o editorial que o *Estado de Minas* publicou, de autoria de Hermenegildo Chaves, o Monzeca, sob o título "A Madalena, o que é da Madalena", em que defendia o direito das Madalenas de exercerem sua profissão, sim, mas não no coração de uma metrópole que ganhava foros de capital do mundo...

Os muros da cidade onde ainda estavam escritos, já um pouco esmaecidos, slogans como "O petróleo é nosso", ganharam inscrições pró e contra a Cidade das Camélias; e alguns brincalhões picharam os pontos centrais, e a Rua Guaicurus, com uma nova palavra de ordem: "Hilda Furacão é nossa". Nesse clima febril, Felipe Drummond disse:

— Você vai entrevistar Hilda Furacão!

E eu fui; eu e o fotógrafo Demétrio Barbosa subimos numa tarde de terça-feira a escada do Maravilhoso Hotel; eu tinha telefonado para Hilda Furacão, da redação da *Folha de Minas*, e uma voz rouca, voz de herança mais italiana do que alemã, concordou:

— Venha às 3 da tarde ao quarto 304... e aí decido se dou ou não a entrevista.

Meu coração batia acelerado quando eu e Demétrio Barbosa chegamos à porta do quarto 304; a porta estava entreaberta, enfiei a cabeça e vi, sentada num sofá, a Garota do Maiô Dourado, cuja descrição adio mais uma vez, deixo para quando ela reaparecer, em circunstâncias muito especiais, nesta narrativa; tinha nas mãos o livro *Geografia geral*, de Moisés Gikovate, e senti o forte e adocicado cheiro do perfume Muguet du Bonheur que ela usava; quando nos viu deixou o sofá, fechando o livro e marcando a página com o dedo — e tudo em volta ficou escravo dela; caminhou até nós — caminhou com jeito de andar que os coronéis do interior de Minas, homens rústicos, definiam assim:

— Ela anda como uma égua campineira solta no pasto.

Apertou minha mão e a mão de Demétrio Barbosa, e, pedindo licença, fechou a porta; então perguntou se aceitávamos um refresco de groselha que a ela recordava os anos infantis, e andando pelo quarto que, ao seu andar, jogava como um navio navegando no mar de Minas, nos serviu o refresco de groselha, sem esperar nossa resposta; olhou para mim e perguntou, referindo-se à Miss Minas Gerais:

— Cê é parente da Glorinha Drummond?

— Sou, respondi — o que não deixava de ser verdade.

— Fomos colegas de colégio. Bons tempos.

Voltou ao sofá, cruzou as pernas, mas só deixou à mostra os joelhos, seus inesquecíveis joelhos; tinha um jeito muito

mineiro de falar "uai", "ocê"; gostava da expressão lero — e, rindo abriu o livro de Moisés Gikovate e disse:
— Eu sou a-lu-ci-na-da por geografia.
Bebericou o refresco de groselha e perguntou:
— Cês gostam de geografia?
— More or less — respondeu Demétrio Barbosa.
— Uai, do you speak English? — e riu, olhando para mim:
— E ocê, gosta de geografia?
— Gosto muito.
— Uh, eu adoro fazer teste de geografia. Vamos fazer?
— Valendo o quê? — perguntou Demétrio Barbosa.
— Valendo um beijo — ela respondeu. — Quem responder certo, ganha um beijo. Perguntinha simples e boba: qual é a capital da Bolívia?
— Capital da Bolívia? É Bogotá — apressou-se Demétrio Barbosa.
— Ab-so-lu-ta-men-te errado! — ela disse. — Bogotá é a capital da Colômbia. Foi onde houve o célebre Bogotazo.
Olhou para mim à espera de minha resposta.
— A capital da Bolívia é La Paz — eu disse.
— La Paz? — ela riu, ficando de pé. — Ab-so-lu-ta-men-te errado: La Paz é a capital do Peru.
— Não senhora — falei. — Pode me dar o beijo que eu ganhei. A capital da Bolívia é La Paz.
— É Lima — ela teimou.
— É La Paz — insisti.
— Tá bem — ela disse. — Vamos conferir. Aqui está a geografia de Moisés Gikovate que não me deixa mentir.
De pé cantarolava enquanto folheava o livro, eu e Demétrio Barbosa a seu lado; parou de cantarolar quando encontrou a resposta:
— Uai! Santa madre! Cê é que tinha razão: a capital da Bolívia é La Paz.
Aproximou-se de mim e, dizendo "quem deve paga", beijou meu rosto com todo o pecado do mundo.

(Não, Hilda Furacão não deu a entrevista, ainda era cedo para falar, mas prometia: quando chegar a hora ela me dará furo de reportagem, e eu perguntei:

— Você me conta por que veio para a Zona Boêmia?

Não respondeu — alguma coisa nublou nela, nos olhos cor de fumaça, como se fosse chover; pediu desculpas: às 5 da tarde, como toda primeira terça-feira do mês, estava comprometida com um coronel baiano, forte produtor de cacau em Ilhéus e que segundo ele mesmo dizia tinha inspirado um personagem de Jorge Amado no romance *Gabriela, cravo e canela*; levou-nos até a porta do quarto 304 e disse como se fosse a Garota do Maiô Dourado falando:

— Até mais ver.

Transformei o episódio daquela tarde no conto "Bolívia, capital Lima", que o suplemento literário da *Folha de Minas* — dirigido pelo poeta Jacques do Prado Brandão — publicou, marcando a minha estreia como escritor; para não chegar de mãos vazias à redação entrevistei Maria Tomba Homem, que declarou sobre a sua ida para a Cidade das Camélias no seu jeito de falar e ganhou chamada na primeira página:

— Mais melhor é eles levar Maria Tomba Homem para a cidade dos pés juntos, que daqui da Guaicurus não saio, daqui ninguém me tira.

Fecho o parêntese, que está quase na hora de falar sobre a grande manifestação marcada para a Rua Guaicurus pelos partidários da Cidade das Camélias: a Noite do Exorcismo.)

14

Precisa-se de um Santo

Frei Malthus — afinal, ele não fez segredo disso — estava no Convento dos Dominicanos degustando a geleia de jabuticaba, pois teve uma noite de horrores em que duvidou da existência de Deus, quando o irmão leigo anunciou a comissão pró-Cidade das Camélias, liderada por Dona Loló Ventura.

— Frei Malthus? — disse Dona Loló. — Eu o imaginava mais velho. Tão novo e com essa aura de santo. Pois é de um santo que precisamos, Frei Malthus.

Ora, o Santo estava em crise, como foi falado, e quando Dona Loló convidou-o para assumir o comando da campanha a favor da Cidade das Camélias, aceitou; é bem verdade que, desde Santana dos Ferros, posicionava-se contra a Zona Boêmia. Como presidente do Grêmio Literário Abgar Renault, do Ginásio Santanense, apoiou o Padre Nelson, o ex-vigário, numa polêmica proibição; após acabar com o carnaval mandando tocar os sinos das três igrejas quando os bailes começavam, decidiu confinar em estreitos limites Alição, Alice e Alicinha, mãe, filha e neta, as três principais prostitutas de Santana dos Ferros — elas ficaram com seu parco território ainda mais limitado: do beco em que moravam só podiam chegar à metade da ponte sobre o Rio Santo Antônio; uma tarde, eu e Aramel, o Belo, estávamos vindo pela ponte quando encontramos Alição, Alice e Alicinha.

— Aramel e Roberto — disse Alição. — Eu que descabacei ocês dois, tenho direito a rogar um pedido.

— Pode fazer o pedido, Alição — falou Aramel, o Belo.

— Eu rogo a ocês, Aramel e Roberto, que ocês cheguem lá no adro da igreja e cheirem bem e voltem pra contar cumo que é o perfume de lá, que eu esqueci cumo é e já num durmo de noite, mode querer saber.

Voltemos a Frei Malthus e à comissão liderada por Dona Loló Ventura, na sala de reuniões do Convento dos Dominicanos — nosso candidato a Santo aceitou prazerosa e devotadamente o convite; ele mesmo ia realizar a cerimônia de exorcismo: ia exorcizar aquela usina de pecado, livrar a Rua Guaicurus e adjacências da presença do demônio que, segundo estava informado, assumia a face de anjo — por isso mais diabólica — de Hilda Furacão; no dia seguinte, os jornais gritaram em manchetes:

"Santo promete exorcizar
o demônio Hilda Furacão."

Na nossa cidade não se falou em outra coisa até que chegou a grande Noite do Exorcismo na Rua Guaicurus.
Pobre Frei Malthus: não sabia — diria Tia Çãozinha — com que caixa de maribondos ia mexer.

15

Os Disfarces do Diabo

Carros com alto-falantes saíram às ruas, mal o dia clareou, convidando o povo para a Noite do Exorcismo em que o único Santo vivo, em carne e osso, da face da terra iria "exorcizar o demônio disfarçado de Hilda Furacão". Era de ninguém perder. Por volta do meio-dia, no Convento dos Dominicanos, o Santo almoçava e um Cessna jogava panfletos sobre a cidade; um panfleto caiu no quintal do convento, o irmão leigo apressou-se em apanhá-lo e deu para o Santo ler:

"Santo exorciza demônio!!!
Hoje às 20 horas, na Rua Guaicurus, grande marcha contra a presença do demônio disfarçado de Hilda Furacão, em Belo Horizonte.
Um Santo vai exorcizar Hilda Furacão, tirar o demônio de seu coração e fazê-la voltar a ser a Garota do Maiô Dourado.
Hoje!!! Grande Noite do Exorcismo! Concentração: 19 horas e 30 minutos diante da Central do Brasil. Não

perca o trem da História!!! Ajude a construir a Cidade das Camélias.
Deus, sim, Diabo não!"

(O Santo lê o panfleto, vai para seus aposentos, abre a lata de geleia de jabuticaba, chama o irmão leigo e pede que passe um telegrama urgente para Santana dos Ferros dirigido a Dona Nhanhá; o texto:
"Querida mãe: mande urgente geleia de jabuticaba PT Saudações em Cristo PT O filho, Frei Malthus.")

16

A Noite do Exorcismo

Na frente da multidão que carrega tochas acesas, fabricando fantasmas nas paredes dos hotéis e das pensões da Rua Guaicurus, aos gritos de "Deus sim, Diabo não" — vai o Santo, magro, a batina branca de frei dominicano, andar cadenciado e leve, como se daqui a pouco fosse levitar; os óculos de tartaruga insistem em escorregar para a ponta do nariz e fazem cócegas na orelha esquerda; o cabelo do Santo é curto, partido de lado — o que o rejuvenesce. Nas mãos leva um crucifixo, no coração uma angustiada pergunta: "Foi para isso, Senhor?"; e junto com a pergunta, mais forte, insistente, aquela divisão nos extremos da santidade e do pecado. Ah, entremos no coração do Santo: hoje, nesta noite que escureceu mais cedo, quando vai exorcizar o demônio, tirá-lo do coração e do corpo de uma mulher que é a ruína e ao mesmo tempo a ventura dos homens — nesta noite, quando pisou na rua dos pecados, a Guaicurus, foi tomado pela dúvida; ao deixar o Convento dos Dominicanos e entregar ao irmão leigo a água benta com que ele borrifará a Rua Guaicurus, seus prédios, suas casas, suas árvores, seus postes, seus cães vadios, seus gatos talvez famintos, seus mendigos, seus loucos, suas loucas, suas mulheres, seus rufiões, seus gigolôs, seus travestis, seus foragidos da polícia; ao entregar a água benta ao irmão leigo, pensou em dizer:

— Leva um pouco de geleia de jabuticaba, irmão leigo.

Atrás do Santo, puxando a multidão, vem o irmão leigo junto a jovens seminaristas que borrifam a rua onde mora a pecadora; e atrás do irmão leigo e dos seminaristas vem Dona Loló Ventura, um enorme terço escorrendo nas mãos, e logo um séquito de beatas, clareadas pelas tochas acesas, as vozes rezando entremeadas pelos gritos de "Deus sim, Diabo não" e pelas sirenes das radiopatrulhas e dos caminhões do corpo de bombeiros, pois entre os manifestantes há fanáticos, um deles pode atear fogo na pecadora, incendiá-la como uma Joana d'Arc pecadora; os gritos aumentam à medida que a multidão com as tochas acesas liderada pelo Santo, penetra no território maldito: os hotéis e as pensões têm as janelas abertas e as luzes apagadas, não parece haver vivalma lá dentro, recordam hotéis e pensões de uma cidade fantasma.

A cerimônia de exorcismo vai acontecer diante dos dois principais templos do pecado da Zona Boêmia: o Montanhês Dancing e logo ao lado o Maravilhoso Hotel, lá, onde no quarto 304 fica a própria encarnação do demônio; até a esquina de Guaicurus com Rio de Janeiro a multidão comandada pelo Santo não encontra obstáculo pelo caminho: só um cão, que Freud já dizia que é o símbolo do sentimento de culpa — pensa o Santo, como confessaria mais tarde —, só um cão late para a multidão, da janela de uma casa vazia; quando a manifestação deixa para trás a esquina de Rio de Janeiro e segue pela Guaicurus, o céu começa a escurecer, o Santo olha as nuvens negras e baixas, e sente um cheiro de chuva, pensa nas chuvas de outrora, as chuvas da infância e se pergunta: "O que a mãe está fazendo agora? Acompanha pelo rádio o relato sobre a Noite de Exorcismo?" Sente saudade da mãe e, como diria Freud, por que é que nos momentos difíceis nós nos infantilizamos? Dizem que no front das guerras os soldados chamam pelas mães durante os combates. Os relâmpagos abrem um clarão e depois explodem no céu, abafam as sirenes, abafam os gritos de "Deus sim, Diabo não", abafam a voz das beatas rezando, comandadas por Dona Loló Ventura, abafam estas batidas no coração do Santo, que ele sente que bate na garganta como um tambor; e um arrepio percorre sua pele, fazendo-o ter saudade das gripes da infância; agora a alegria é maior que a saudade e o Santo tenta imaginar o momento em que vai exorcizar Satanás.

— E se Satanás não aparecer?

Quando o Santo atravessa a fronteira da Guaicurus com São Paulo e penetra no território que uns dizem encantado, onde reina Hilda Furacão, da ponta de lá da rua vem vindo uma multidão silenciosa, compacta, escura, que não carrega tochas acesas; soldados da Polícia Militar, armados de cassetetes, revólveres e bombas de gás lacrimogêneo avançam apressadamente, deixam a esquina de São Paulo onde estavam entrincheirados; soam sirenes, troveja no céu cada vez mais escuro, e os soldados, ajudados por prestimosos guardas-civis, isolam uma área em frente ao Montanhês Dancing e ao Maravilhoso Hotel e criam um pequeno território neutro, uma terra de ninguém no que prometia ser um campo de batalha.

A alguns passos do cordão de soldados e guardas-civis, mas dentro da terra de ninguém, o Santo para; volta-se para a multidão que carrega tochas acesas e grita "Deus sim, Diabo não", e faz um gesto, logo atendido, pedindo silêncio; avança mais três passos, o que leva Dona Loló Ventura e o irmão leigo a darem dois pulinhos, ergue o crucifixo na direção do Montanhês Dancing e do Maravilhoso Hotel; luta contra a vontade de comer geleia de jabuticaba e grita com uma voz que, sendo de Santo, tem um tom musical (não fosse ele um barítono de chuveiro):

— Eu te exorcizo, Satanás!
É então que Hilda Furacão vem descendo a escada do Maravilhoso Hotel e caminha na direção do Santo.

17

Mais Fosse um Anjo

A bem da verdade o Santo nunca tinha visto Hilda Furacão; nem mesmo a conhecia por fotos — assim, como todos, santos ou pecadores, que não sabiam como era, podia imaginá-la imensa, enormes nádegas aprisionadas em saias justíssimas e curtas; e com uma pitada de má vontade, dava-lhe grandes seios, além, muito além dos seios de Jane Mansfield, de Jane Russel e de Gina Lolobrigida, que o dever do ofício de saber das tentações sofridas pelos homens o fazia conhecer pelas fotografias; ah, e o Santo (como confessaria a este escriba), tratando-se de uma encarnação do demônio, esperava ver Hilda Furacão com uma enorme e obscena boca lambuzada de batom, revoltos cabelos, brincos de argolão e, nos olhos quem sabe negros, um certo cansaço daquela vida de orgias e toda a lascívia deste mundo. Por tudo isso — e sentiu que era ela quem vinha em sua direção pela estranha reação dos soldados e guardas-civis que, ao vê-la passar e sem barrar-lhe o caminho, tiraram reverenciosamente seus quepes e bonés, sendo que alguns caíram de joelhos, enquanto um silêncio imenso se fez —, por tudo isso, duvidou do que via.

— Ajudai-me, Santo Antão — rogou —, que não posso crer no que vejo!

Ela veio andando na direção dele como uma festa; no que andava — e isso era natural nela, nunca teve aulas — trazia toda a alegria do mundo; era clara, tinha a Itália materna na pele e a Alemanha paterna nos olhos cor de fumaça e um certo quê louro nos cabelos lindamente presos; e a arrogância, esse não abaixar a cabeça, esse não desviar os olhos, de onde é que vinha? O vestido era um tomara que caia preto, que assumia a forma surpreendentemente jovem de seu corpo, uma lembrança das missas dançantes do Minas Tênis Clube; e o Santo — que desviou o crucifixo no rumo dela — teve medo de pensar (oh, louco coração!) que ela não usava sutiã e que seus seios recordavam duas maçãs argentinas e eram inquietos como os pássaros do paraíso; usava um sapato de salto alto cravejado de vidrilhos, também lembrança das missas dançantes do Minas Tênis, sapatos que estranhamente brilhavam mais e mais, sugerindo festas encantadas.

— Mais fosse um anjo — pensou o Santo. — Ah, Santo Antão, o demônio sabe como se fantasiar para nos tentar!

Parou a poucos passos dele; o gás néon do luminoso do Montanhês Dancing jogava uma névoa ora azul, ora verde, ora laranja, ora vermelha no vulto dela; então o Santo sentiu o forte, penetrante e adocicado cheiro do perfume Muguet du Bonheur que ela usava; era alérgico a perfumes — uns provocavam-lhe incontroláveis espirros, outros faziam a cabeça estourar de dor —, implorou a Santo Antão, que conhece as tentações do demônio, travestido de mulheres e de anjos:

— Que minha cabeça estoure de dor, Santo Antão, mas livrai-me dos espirros, amém!

Santo Antão o atendeu; com o crucifixo, sem espirrar mas com a cabeça latejando de dor, decidiu enfrentá-la, vale dizer: decidiu enfrentar o demônio na pele de um anjo.

18
Te Esconjuro, Satanás

Gritou então, o crucifixo erguido e apontado no rumo dela:
— Te esconjuro, Satanás!
Na hora, um trovão explodiu como anunciando que o que acontecia aqui na terra repercutia lá no céu, e caíram os primeiros pingos de chuva, gordos e esparsos; ela não desviava dele os olhos de fumaça e meio sorria; esperou o rugido do trovão morrer ao longe e sua voz de um rouco que a emoção acentuava foi ouvida:
— Quer dizer que eu sou o demônio e o senhor, Frei Malthus, mais que Santo, é Deus?
— Alto lá! — cortou-a Dona Loló Ventura, colocando-se ao lado de Frei Malthus. — Como se atreve, Madalena pecadora, a se dirigir em termos tão desrespeitosos a um Santo?
Gritos de "Deus sim, Diabo não" vieram da multidão com tochas acesas, além de um grito mais inquietante: "Queimem essa herege!" Os soldados e os guardas-civis puseram seus quepes e bonés, a multidão silenciosa, a do outro lado da Guaicurus, a que não carregava tochas e era formada por prostitutas, rufiões, gigolôs, malandros, foragidos da polícia, bons e maus ladrões, chapas que carregavam e descarregavam os caminhões nos armazéns da Zona Boêmia, aquela multidão silenciosa deu um passo à frente; imensa, no seu um metro e noventa de altura, forte como um estivador, uma flor vermelha no cabelo, Maria Tomba Homem adiantou-se e foi ficar à direita, um pouco atrás da Hilda Furacão; logo, o travesti Cintura Fina, com sua navalha voadora escondida dentro da blusa, colocou-se à esquerda de Hilda Furacão — pela primeira vez estava do mesmo lado de Maria Tomba Homem. O Santo continuava com o crucifixo apontado para Hilda Furacão e a dor de cabeça aumentava.

— Dobre a língua, Madalena — gritou Dona Loló Ventura.
— Aprenda a falar a um Santo!

Foi meio sorrindo, o que destacava os dois furos no rosto, que Hilda Furacão falou:

— Minha querida Dona Loló: espero ser tratada pela senhora com a mesma Ihaneza (e aqui ela sorriu, como se se desculpasse pela invasão castelhana na sua fala), com a mesma Ihaneza, repito, com que eu e minha família a tratávamos quando a senhora, que era nossa vizinha no bairro de Lourdes, ficou viúva e ia lá em casa pedir açúcar e café emprestados, os quais, diga-se de passagem, a senhora, Dona Loló, nunca nos pagou.

Maria Tomba Homem e o travesti Cintura Fina aplaudiram e a multidão sem tochas os imitou, ouviram-se gritos de "Viva Hilda Furacão!" Certa do efeito conseguido (Dona Loló Ventura apenas ajeitava o cabelo pintado de azul-claro), Hilda Furacão encarou o Santo com seus olhos de fumaça:

— O senhor, espera um pouco — mediu-o de alto a baixo.
— O senhor é tão jovem!

Falava como se ela não tivesse apenas 21 anos incompletos:

— O senhor é tão jovem, Frei Malthus, que vou chamá-lo de você. E faço um desafio, Frei Malthus: abaixa esse crucifixo e responda. Responda que espécie de Santo é: Santo dos ricos ou Santo dos pobres?

Explosões no céu abafaram a fala dela.

19

E SE FOI DEUS QUEM ME MANDOU?

— Desafio — ela continuou, quando os trovões passaram. — Abaixa esse crucifixo, Frei Malthus, e responda: que tipo de Santo é você? Que procuração Deus lhe deu para falar em seu nome?

Frei Malthus ouvia calado; a cabeça explodia, o perfume Muguet du Bonheur parecia mais forte; pensou em pedir uma aspirina ao irmão leigo, que andava com uma farmácia de emergência no bolso, e abaixou o crucifixo, sendo aplaudido pelos partidários de Hilda Furacão.

— Eu também aplaudo — e aquelas mãos mágicas, aquelas mãos pecadoras, bateram palmas. — Responda, Frei Malthus: alguma vez, você que é Santo, soube como vive um operário brasileiro? Pois eu, que você diz que sou o demônio, sei como vive o operário brasileiro. Sei da fome do povo brasileiro, a fome dos operários, dos favelados, dos subempregados, dos desempregados, e dos que nada têm e que sentem uma fome muito além do pão nosso de cada dia, Frei Malthus. Sentem uma fome de carinho, fome de esperança, meu querido Frei Malthus.

Aquele "meu querido Frei Malthus" perturbou-o, e todos, Hilda Furacão, o irmão leigo, todos perceberam; Dona Loló Ventura deu uma discreta, mas nem por isso menos violenta cotovelada no Santo, como a dizer: "Reaja!" Agora as nuvens escuras estavam mais baixas; uma rajada de trovões rugia no céu como um bando de leões e começou a chover forte, era a chuva dos trópicos, violenta, furiosa, chicotadas de água, mas ninguém arredou pé da Rua Guaicurus. A batina do Santo está ensopada e ele vê os cabelos molhados dela ("Valei-me, Santo Antão!" murmura só para si), depois vê o vestido tomara que caia colar-se no corpo dela (mais e mais valei-me, Santo Antão), e sente uma louca, doidivana vontade de falar:

— Vai trocar de roupa, senão você fica resfriada e pode até pegar uma pneumonia!

Mas eis que fala, ganhando aplausos e ficando sem resposta, já que um trovão cala Hilda Furacão:

— Esta é uma chuva abençoada porque vem lavar os pecados da Rua Guaicurus e da Zona Boêmia!

As chicotadas da chuva são cada vez mais fortes; vêm do céu, clareado pelos relâmpagos e sacudido pelo estrondo dos trovões, a impressão de que Belo Horizonte está sendo bombardeada por aviões inimigos ou que Deus não está gostando do que vê; de repente, tudo escurece: apagam-se as luzes, a Rua Guaicurus fica escura, clareada pelo bombardeio dos trovões e um raio cai ali perto, talvez atraído pelo para-raios da feira de amostras, onde funcionava a Rádio Inconfidência. Num clarão que se prolongou Hilda Furacão ficou iluminada e, ao vê-la, conforme novas confissões, Frei Malthus teve um estranho medo: de que um raio caísse na Rua Guaicurus e a matasse. Nova cotovelada de Dona Loló Ventura e o Santo ergue o crucifixo na direção da pecadora e grita, na escuridão entrecortada pelos clarões:

— Eu a exorcizo, pecadora! Você é a enviada do demônio para tentar os homens aqui na terra.

Ela retruca:

— E se foi Deus, Frei Malthus, quem me mandou à terra para fazer um relatório sobre o que se passa no coração dos homens?

Para de falar, está molhada, os seios insistem em se insinuar no vestido tomara que caia quando clareada pelos trovões; e ela continua:

— Responda, Santo dos ricos: que milagre você já fez para ser chamado de Santo?

Não precisou que Dona Loló Ventura desse nele uma nova cotovelada; gritou:

— Você vai ser meu primeiro, Hilda! Eu vou exorcizá-la e convertê-la ao reino de Deus.

20

O Sapato da Cinderela

Foi a última frase da noite: do céu caiu sobre todas as cabeças, santas e pecadoras, uma tal fúria diluviana, que fez crescer a sensação de que Belo Horizonte estava sendo mesmo bombardeada por aviões inimigos; o Restaurante Bagdá, atingido por um raio, ardia em chamas, e começou uma enorme confusão, gritos e corre-corre; na confusão, arrastada pelas mãos protetoras de Maria Tomba Homem e Cintura Fina, Hilda Furacão perdeu um pé do sapato; Frei Malthus encontrou-o e o meteu no largo bolso do hábito de dominicano, clareado pelas chamas do Restaurante Bagdá.

    De madrugada, tendo nas mãos um exemplar da *Folha de Minas* recém-impresso com o relato sobre os acontecimentos da última noite, passei pela Rua Guaicurus e, não fossem os destroços do Restaurante Bagdá e uma tênue fumaça que saía de lá, dava para pensar na bonança que vem depois da tempestade, porque em algum lugar, talvez no coração dos homens e das mulheres que dormiam, um violino tocava em surdina.

DOIS

1
O Santo e a Pecadora

Vamos saber agora o que está acontecendo com nosso candidato a Santo, Frei Malthus, depois da noite de exorcismo na Rua Guaicurus quando, no meio da chuva que caía, como foi dito, encontrou o sapato perdido por Hilda Furacão; acreditou no momento em que o apanhou no asfalto molhado e, controlando a vontade de beijá-lo, o meteu no bolso do hábito de dominicano, viu que ninguém viu o que acabava de acontecer; pensou então:

— Só Deus foi testemunha!

Deixemos que o Santo continue em sua inocência — ele não suspeita que este narrador o surpreendeu na hora do delito: é de justiça dizer que vacilou, indeciso se guardava ou não o sapato da Gata Borralheira ou Cinderela; ainda agora, no Convento dos Dominicanos, o Santo ouviu pelo rádio as declarações que Hilda Furacão fez aos repórteres.

Sabe-se que a vidente Madame Janete, a mesma que previu que Getúlio Vargas ia dar um tiro no peito quando só os gatos estavam acordados no Palácio do Catete, disse a Hilda Furacão, na época em que ela era ainda a Garota do Maiô Dourado, e em que tirava o sono dos frequentadores da piscina do Minas Tênis Clube:

— Para você descobrir seu Príncipe Encantado, primeiro você há de sofrer mais do que a Gata Borralheira, porque sua madrasta vai ser a própria vida. Depois, você vai perder o pé de seu sapato mais amado, este que você usa nas missas dançantes do Minas Tênis Clube, e quem o encontrar, para o bem ou para o mal, será seu Príncipe Encantado.

Sabe-se que Hilda Furacão declarou:

— Prometo cobrir de beijos e abraços a quem devolver meu sapato, que é um objeto de estimação, mas, se alguém preferir, ofereço mil dólares para ter meu sapato de volta.

(Pouco depois que as rádios puseram no ar a voz rouca de Hilda Furacão, começaram a chegar ao mitológico quarto 304 do Maravilhoso Hotel homens trêmulos, alguns sem voz: levavam um pé do sapato e diziam ser o da Cinderela; não, não queriam os dólares: queriam os abraços e beijos, mas todos — cerca de doze — em pouco tempo Hilda Furacão dispensou: os pés de sapato que traziam não serviam, eram maiores ou menores do que o pé da Cinderela; o que, por sinal, iria alimentar o noticiário dos jornais e das rádios nos próximos dias, enquanto a Câmara Municipal discutia o projeto que transferia a Zona Boêmia de Belo Horizonte para a Cidade das Camélias, a ser construída longe das noites febris da cidade. Fecho o parêntese e sigo até o refúgio do Santo.)

2

Um Diálogo Muito Estranho

Acompanhem-me até o Convento dos Dominicanos; fica no Alto das Mangabeiras, lá onde a brisa da tarde (ou é impressão dos frades?) sopra um cheiro que recorda a pele suada das mulheres. Este que vem nos receber na porta do Convento dos Dominicanos é o irmão leigo, observem-no: tudo nele é neutro; neutra é sua voz, nem de homem, nem de mulher;

neutro é o rosto pálido, como convém a um irmão leigo; neutro o seu andar; neutro o seu olhar; mas não vamos deixar transparecer a penosa impressão que o irmão leigo nos causa: ele faz pensar — perdoem-me — nos galos capões que carregavam sua solidão nos quintais de outrora, onde havia pés de manga e galinhas ciscando a terra.

Diz a voz neutra do irmão leigo ao nos ver:
— Louvado seja Nosso Senhor Jesus Cristo.
É aconselhável responder:
— Para sempre seja louvado!
Precisamos cair nas boas graças do irmão leigo para chegar ao Santo; sejamos amáveis com ele:
— Boa tarde, irmão leigo.
— Boa tarde, se é o que Deus Nosso Senhor assim quer.
— Como tem passado, irmão?
— E Frei Malthus, o Santo, onde está, irmão?
— Está lá.
— Perdão, irmão: lá onde?
— Lá — ele aponta para o fundo do quintal.
— Frei Malthus está no quintal, irmão?
— Propriamente, não.
— Onde, então, irmão?
— Na casa de purgação.
Aconselha-se estranhar:
— Casa de purgação, irmão? O que vem a ser?
— Pensei que o senhor soubesse.
— Não, não sei, irmão.
— Nas duas últimas noites Frei Malthus dormiu na casa de purgação.
— Não estou entendendo, irmão.
— A casa de purgação fica no quintal do Convento dos Dominicanos. Suas paredes são à prova de som. Cá de fora ninguém escuta os barulhos lá de dentro.
Vale fazer-se de desentendido:
— Que barulhos, irmão?

— Na casa de purgação os frades e mesmo nós, irmãos leigos, podemos nos autoflagelar chicoteando o próprio corpo, sem que ninguém aqui fora ouça as chicotadas e nossos gritos.
— Quer dizer que, nas últimas duas noites, Frei Malthus se autoflagelou chicoteando o próprio corpo, irmão?
— Seguramente, senhor.

3

Notícias do Sapato da Cinderela

Convidou-os agora a entrar na ponta dos pés até onde está nosso candidato a Santo; existe uma porta secreta e, se tivermos sorte, poderemos vê-lo sem que nos veja; olhem: lá está ele, ajoelhado diante do sapato da Cinderela, mas não vê o sapato: tem os olhos fechados, e a geleia de jabuticaba, que ele degusta sempre que seu lado pecador ameaça derrotar seu lado santo, está ao alcance das mãos.

O que nosso pobre herói vê agora, de olhos fechados?

Vê Hilda Furacão molhada de chuva, tal como ele e todos a viram na Rua Guaicurus durante a Noite do Exorcismo.

Hilda Furacão está de sapato?

Não: usa apenas um pé de sapato — falta o sapato do pé direito, que ela perdeu.

Que faz o nosso candidato a Santo?

Pega o sapato da Cinderela e enfia em seu pé.

Que acontece então?

Hilda Furacão o cobre de abraços e beijos como prometeu na entrevista que o Santo ouviu pelo rádio.

E, em seguida, o que o Santo vê de olhos fechados?

Vê Hilda Furacão ainda mais molhada pela chuva.

O que mais chama a atenção nela?
Os cabelos molhados pela chuva.
E além dos cabelos molhados?
O vestido tomara que caia que ela usa e que está colado ao corpo.
E o que mais?
O seio esquerdo que ameaça escapar do vestido, a um simples respirar, e voar como um pássaro do paraíso.
Que diz o nosso Santo a Hilda Furacão?
Que fique descalça, que ele guardará seu sapato, pois sente muita vontade de andar descalço na chuva com ela.
Ela tira o sapato?
Tira e ele o guarda no bolso do hábito.
O que os dois fazem então?
Saem andando de mãos dadas e descalços na chuva.
E o que mais?
Brincam de correr na chuva.
Por que de repente ela para de correr?
Para ficar olhando para ele com seus olhos cor de fumaça.
O que ele sente ao ver os olhos dela?
Sente uma vontade de ser bom, de amar os simples e os humilhados.
O que ele vê dentro dos olhos dela?
Vê a dor do mundo.
O que ele faz então?
Pede desculpas a ela.
O que acontece a seguir?
Um violino está tocando o bolero *Quizás*.
O que ela diz a ele então?
Diz: — Vamos dançar?
E ele?
Responde: — Eu não sei dançar.
E o que ela diz?
— Eu te ensino a dançar, vem.
E o que ele faz?

Sinto decepcioná-los: ele abre os olhos, como mais tarde iria contar a este escriba; com medo de ser atacado pelo Mal de Hilda, nosso candidato a Santo põe uma colher de geleia de jabuticaba na boca e promete:
— Eu ainda vou exorcizá-la, Hilda Furacão. Hei de tirar o demônio do seu coração.

4

EM QUE SE FALA SOBRE O MAL
DE HILDA, COM BASE EM FATOS E BOATOS

Deixemos nosso Santo degustando a geleia de jabuticaba e apressemo-nos a ver os acontecimentos daqueles dias, enquanto se aproximava a noite em que a Câmara Municipal vai votar o projeto que cria a Cidade das Camélias e acabar com a Zona Boêmia de Belo Horizonte; as marchas organizadas por Dona Loló Ventura, por razões que revelaremos na hora oportuna, atraíam mais e mais mulheres (e raros, raríssimos homens), e, entre os vereadores, os debates acirravam-se. Antes dos fatos que estão por vir, cheguemos à Câmara Municipal na Rua da Bahia, diante do Grande Hotel, lotado de coronéis, atraídos pelos feitiços de Hilda Furacão; aquele de óculos ray--ban mesmo à noite é o vereador comunista Orlando Bomfim Junior; faz uma grave denúncia: vai provar com "documentos irrefutáveis" que a especulação imobiliária, "tendo à frente o notório Antônio Luciano", está por trás da campanha a favor da Cidade das Camélias, de olho na valorização dos imóveis da Zona Boêmia em toda a região da Rua Guaicurus e adjacências, no coração de Belo Horizonte. De posse de documentos e fac-símiles mostra que Antônio Luciano e seus comparsas, acumpliciados com as empreiteiras interessadas em construir com o dinheiro do povo a Cidade das Camélias, tal como prevê o projeto do Padre Cyr, financiam a campanha contra a Zona Boêmia desde a impressão de cartazes até a de folhetos de publicidade lançados por aviões. Tudo é pago por empresas de propriedade do notório Antônio Luciano, como a Fayal, e até a casa no bairro dos Funcionários, onde funciona a sede da Liga de Defesa da Moral e dos Bons Costumes, presidida por Dona Loló Ventura, pertence à Fayal, assim como a sala do comitê das mal-amadas, a ala feminina do Clube da Lanterna; é estrepitosamente vaiado.

Agora vejam: o Padre Cyr, gordo, passos lentos, vai à tribuna; delirantemente aplaudido pela plateia, diz que, "baseado em documentos fidedignos que tenho em mãos, fornecidos pelo ilustre delegado Antônio Dutra Ladeira, diretor do Dops", pode afirmar que o dedo comunista está metido na campanha que visa denegrir e caluniar os defensores da Cidade das Camélias.

— Os asseclas de Moscou estão de mãos dadas com a escória — diz da tribuna o Padre Cyr — querendo liquidar a civilização ocidental e cristã e inaugurar o caos, com o intuito de fabricar uma nova Sodoma e Gomorra e assim, como o lobo mau, um lobo comunista, abocanhar a frágil democracia brasileira, tão frágil e indefesa como Chapeuzinho Vermelho.

E, dedo em riste:

— Aqui estão, nobres vereadores e bravas mulheres mineiras, os documentos e as provas de que o ouro de Moscou financia a campanha para apunhalar pelas costas a tradicional família mineira.

— Exiba as provas — desafia o vereador Orlando Bomfim. — Exiba o ouro de Moscou que eu, por sinal, ando louco para ver sua cara e sua cor.

— Eis os documentos — diz o Padre Cyr, mostrando uma pasta preta. — Eu os passo ao nobre presidente desta egrégia casa, vereador Álvaro Celso da Trindade.

Estava armada a guerra: no dia seguinte os jornais, incluindo a *Folha de Minas*, abriram manchete para falar no ouro de Moscou. Uma pesquisa dizia: a votação estava rigorosamente empatada — nove vereadores a favor, nove contra a Cidade das Camélias. Naquele fim de semana, que podia ser o último de sua existência, a Zona Boêmia, em particular a Rua Guaicurus, experimenta um movimento jamais visto. A fila de Hilda Furacão dobra o quarteirão de Guaicurus com São Paulo; vendo tantos coronéis engrossando-a, impregnando o ar com a fumaça de seus charutos que, segundo eles próprios afirmavam, eram feitos de notas de mil, dava para pensar:

— Se Hilda Furacão sobreviver a esta noite, ficará milionária.

Mas estou fugindo do que ia contar.

Sejamos picantes: os jornais só falavam no Mal de Hilda, um mal que não tinha cura, um mal desgraçada ou abençoadamente sem remédio; segundo levantamentos feitos por este narrador e publicados pela *Folha de Minas*, onde eu trabalhava, o Mal de Hilda começava a contagiar a todos, antes mesmo do célebre beijo pelo qual um coronel do Triângulo Mineiro prometeu a Hilda Furacão um boi zebu (se o beijo o fizesse mesmo subir pelas paredes); já na fila, que se formava todas as noites na Rua Guaicurus, à exceção, como já foi dito, das segundas-feiras, e que subia as escadas do Maravilhoso Hotel até chegar à porta do mais famoso quarto da cidade, o 304, cada um experimentava uma sensação inesquecível; uns diziam:

— Dá um calafrio como febre e você sente vontade de abraçar o mundo.

Outros acrescentavam:

— É como cheirar lança-perfume.

E o que não deixava de ser estranho:

— A gente fica querendo revirar o mundo pelo avesso.

Houve quem visse nesse efeito do Mal de Hilda um "perigoso componente político e ideológico"; pois que, naqueles dias, os bancários entraram em greve e o pedido de aumento de 100% teve como justificativa, mais do que a carestia propriamente dita (o continuado aumento do pão, da carne, do leite), a circunstância muito especial de que o câmbio de Hilda Furacão tinha dobrado de preço; para explicar o fervor grevista dos bancários, contou muito mais o fato de vários deles estarem atacados pelo Mal de Hilda do que a força do Partido Comunista, cujas células dominavam todos os bancos; o jornal *Estado de Minas*, que se orgulhava de ser não apenas o mais lido, mas o que melhor representava os valores da tradicional família mineira, a TFM ou Tefemê, como todos diziam, escreveu em editorial na terceira página:

"É de lamentar que a Cinderela da Rua Guaicurus, a musa do pecado, extrapolando todos os limites toleráveis, estenda seus poderes eróticos e, em concubinato com o comunismo ateu e anticristão, acabe por incendiar assembleias outrora pacíficas e ordeiras e transformar a greve numa palavra de ordem tão sem grandeza que Marx e Lenin haveriam de ficar ainda mais vermelhos... só que, desta vez, de vergonha."

À medida que a fila andava pela Rua Guaicurus, novos efeitos do Mal de Hilda manifestavam-se; mesmo porque vinham descendo do quarto 304, como quem volta do paraíso, os felizardos que tinham amado Hilda Furacão.

— Ela me fez subir pelas paredes — contavam. — Nunca vou esquecer que subi pelas paredes.

Alguns, os mais ricos, pois o câmbio subia a cada semana, entravam novamente na fila, querendo repetir aqueles dois minutos mágicos, cronometrados por um leão de chácara que batia na porta do quarto 304 para dizer que o tempo estava esgotado. Mas quais eram mesmo os sintomas do Mal de Hilda, sentidos enquanto a fila andava? Respondo: um calafrio que subia pelas pernas e uma alegria infantil; alegria de menino que ganha o velocípede tão sonhado ou a bicicleta sempre aguardada e adiada; e alguma coisa próxima do delírio, um não sei quê político, por mais estranho que possa parecer. Recorro a depoimentos, tal como os publiquei na *Folha de Minas*.

"Quando a fila na Rua Guaicurus chegou à escada do Maravilhoso Hotel e senti que, daí a pouco, ia ver Hilda Furacão nua, descobri que a alegria é a maior reivindicação política da humanidade."
(César Luigi Romano, 23 anos, solteiro, membro da comissão de greve dos bancários.)

"Eu podia ser alegre! Eu podia ser alegre!"
(Carlos Matusalém, estudante, terceiro ano de engenharia.)

"O que sei? Sei que flutuava e acreditava no socialismo."
(Maurino Freitas, secretário do Diretório Central dos Estudantes.)

Quando a fila iniciava a subida da escada do Maravilhoso Hotel, um leão de chácara mulato, boxeador em decadência, postado atrás de uma mesinha, vendia fotografias eróticas de Hilda Furacão; a polícia proibiu a venda na Rua Guaicurus, mas ali ao pé da escada, já no território mágico, a venda era livre e Hilda Furacão surgia nua diante dos olhos emocionados em onze posições diferentes.

— Compro todas — disse certa noite um coronel de Ilhéus, que fumava um charuto feito com notas de mil e que, não há de demorar muito, reaparecerá nesta narrativa.

— Mas o cavalheiro vai levar as fotos repetidas? — estranhou o leão de chácara.

— Vou — insistiu o coronel.

— Desculpe, coronel, mas tenho ordens expressas de vender só onze fotografias.

— E se eu pagar em dólares, menino?

— Em dólares? Pagando em dólares, coronel, o senhor só não leva Hilda Furacão.

— Um dia levo Hilda para Ilhéus — prometeu o coronel.
— Quem viver verá.

A foto de Hilda Furacão que mais sucesso fazia mostrava-a nua, sentada na cama, os seios empinados, um meio sorriso prometendo não apenas loucuras, mas muito mais: prometia a felicidade; posto que o Mal de Hilda tinha como consequência uma total e absoluta perdição pela Garota do Maiô Dourado, já na escada, olhando as fotografias, os homens, de todas as idades, sentiam-se febrilmente apaixonados. Transcrevo a seguir fragmentos de cartas publicadas na coluna de conselhos sentimentais mais lida em nossa imprensa, a de Dona Ivone Borges Botelho, no *Estado de Minas*, e que dão uma ideia do que estava acontecendo:

"... diga-me, querida Dona Ivone, o que devo fazer no transe em que me encontro. Já pensei em morrer, Dona Ivone. A verdade é que, faltando apenas sete dias para meu casamento, meu noivo foi acometido pelo chamado Mal de Hilda, durante sua despedida de solteiro e adiou sine die nosso casamento."
(Noiva desesperada, capital.)

"... e agora, Dona Ivone? Sinto-me como uma nau sem rumo desde que meu marido, atacado pelo Mal de Hilda, passou a ter um comportamento estranho, evitando-me seguidamente. Ele agora fica andando pelos cantos da casa, sempre a cantar o bolero *Quizás*. O que é que eu faço, Dona Ivone?"
(Nau sem rumo, capital.)

Havia três momentos particularmente aguardados pelos que ficavam na fila na Rua Guaicurus: a hora de entrar no quarto 304: Hilda Furacão recebia a todos como se estivesse indo para a missa dançante do Minas Tênis Clube — eram, por sinal, os vestidos desse tempo que usava; costumava dizer:
— Não posso decepcionar ninguém.

Depois, fechada a porta do quarto 304, vinha o momento em que dava o célebre beijo naqueles homens aflitos e os deixava atacados para todo o sempre pelo Mal de Hilda; por fim, o ritual para ficar nua — despia-se lentamente, cada peça de uma vez, até ficar apenas com a calcinha preta, que mereceu um poema do poeta Édison Moreira; a cronometragem só começava quando uma lâmpada vermelha acendia na porta do quarto 304 — chegava então a hora mais aguardada; a hora de fazer amor com Hilda Furacão e subir pelas paredes.

Ninguém escapava; quem saía do quarto 304 levando na pele o perfume Muguet du Bonheur usado pela Garota do Maiô Dourado estava incuravelmente contaminado pelo Mal de Hilda. Por aquelas noites um todo-poderoso criador de gado zebu no Triângulo Mineiro, desmentindo a fama da sovinice mineira, ao pôr os pés na Rua Guaicurus de volta do quarto 304, começou a jogar para o ar charutos feitos com notas de mil; e como se contará, com todos os detalhes, no correr desta narrativa, lançou aquele que foi, dizem as testemunhas, o primeiro desafio ao coronel de Ilhéus, rico plantador de cacau que — segundo o próprio contava — era o modelo de um personagem de Jorge Amado (do que, aliás, já se falou aqui):

— Cubro toda e qualquer proposta: quero ser mico de circo e não o maior criador de zebu do mundo, se não levar Hilda Furacão para o Triângulo Mineiro.

Mas isso é assunto para mais tarde; agora, deixo com vocês um mistério: Hilda Furacão.

5

Em que Adão, Sumariamente Nu, passa a Fazer Parte Desta Narrativa

O que a seguir vou narrar retarda a resposta, entre outras, de algumas perguntas como: 1- O que Frei Malthus pretende fazer com o sapato de Hilda Furacão? 2- Quem venceu o duelo na Noite do Exorcismo: o Santo ou a pecadora? Sobre a primeira pergunta, direi apenas que o sapato da Cinderela continuava a ser o assunto de todos os jornais, ao lado do Mal de Hilda; quanto à segunda pergunta, a acreditar na enquete de rua feita pela Rádio Itatiaia e no noticiário dos jornais, a pecadora levou a melhor; o que obrigou Dona Loló Ventura a distribuir uma nota de protesto em que acusava "determinados veículos de fazer o jogo sujo do demônio e conspirar contra Deus e a vontade divina de construir a Cidade das Camélias".

Anunciei no título deste capítulo a participação especial de Adão, vamos então, aos fatos: aconteceu que foi inaugurada a igreja moderna de minha terra, Santana dos Ferros; tido na conta de "perigoso agente de Moscou e do comunismo ateu e anticristão", este escriba não foi, evidentemente, convidado para os festejos, os quais, por sinal, não contaram com a presença de Frei Malthus, visto que nosso Santo foi voto vencido no plebiscito: era a favor de manter de pé a igreja matriz antiga; mas o episódio que lá aconteceu ganhou honroso espaço na revista *Time* — tudo começou quando o Padre Geraldo Cantalice encomendou à pintora Yara Tupinambá um painel para ocupar parte de uma das paredes internas da nova igreja; era uma cena do paraíso e ele deu à pintora total liberdade para criar.

A igreja matriz foi aberta aos fiéis: quando Dona Naná Stanislau puxou a fita de inauguração do painel e caiu o plástico que o encobria, Adão apareceu em toda sua nudez aos olhos de todos; Dona Naná Stanislau desmaiou; seguiu-se um ritual de desmaio coletivo, do qual o mais espalhafatoso foi o da beata Fininha, pois foi antecedido por sua invocação preferida:

— Nossa Senhora do Perpétuo Socorro: tende piedade de nós!

Ao todo dezesseis beatas desmaiaram, mas Tia Ciana (o que acabou ganhando as páginas da revista *Time*), acompanhada do fiel cão Joli, resistiu e deu início a uma prática que empolgou dezenas de adeptos: entrou andando de costas na igreja para não ver o Adão nu, e gritou:

— Seu vigário: mande cobrir as vergonhas de Adão!

Em meio à confusão, Padre Geraldo Cantalice subiu ao púlpito e disse:

— Meus caríssimos irmãos e irmãs: a nudez de Adão é uma nudez purificada, é a nudez do paraíso!

Foi feito um abaixo-assinado, iniciativa de Tia Ciana, aberto com a rica assinatura de Dona Naná Stanislau, pedindo que a pintora Yara Tupinambá "cobrisse as vergonhas de Adão" com uma ou duas folhas de parreira, visto que era um Adão muito bem-dotado; desde então, Tia Ciana entrava de costas na igreja para não ver o Adão nu, no que tem a comovente solidariedade do cão Joli, mas jamais contou com a irmã — Joli aprendeu a entrar de costas na igreja, mas Tia Çãozinha, muito curiosa, não resistia: queria ver o Adão em toda a sua nudez. Já Tia Ciana advertia:

— Eles não perdem por esperar: as vergonhas de Adão serão cobertas com uma folha de parreira ou eu não me chamo Emerenciana Drummond!

Mas voltemos à nossa história, que há muito o que contar.

6

Uma Dor de Cabeça

Eu ainda dormia em meu quarto na casa da Rua Ceará quando a vizinha do lado, a moça de olhos cinza que apareceu no início desta narrativa, veio dizer que havia alguém querendo falar com urgência comigo em seu telefone; nessa época minha mãe não tinha telefone e eu fui atender; quando entrei na sala a vizinha do lado disse para eu ficar à vontade, depois fechasse a porta da entrada que ela ia sair, pois, não longe dali, na Rua Santa Rita Durão, um homem agonizava e ela ia lá encorajar o filho mais velho, que parecia frágil e desprotegido; ainda a olhei, pensando em que espécie de anjo ela era, e peguei o telefone em cima do criado; uma voz familiar disse:

— Aqui é Frei Malthus. Preciso falar com você com a máxima urgência. Que tal almoçarmos juntos?

— Aí no Convento? — perguntei.

— Não. Você me falou tão bem do *caol* do Café Palhares que eu gostaria de experimentar.

— Ótimo. Sabe onde fica o Palhares?

— Não.

— Fica na Rua Tupinambás, quase com Afonso Pena, em frente ao ex-Santa Teresa Hotel, que hoje é o São Miguel Hotel.

— Eu chego lá.

Eu estava certo de que Frei Malthus queria fazer de mim o portador do sapato perdido por Hilda Furacão para que eu o devolvesse à sua legítima dona. Comemos o *caol* (c de cachaça, a de arroz, o de ovo, e l de linguiça), que estava inesquecível, recordando os últimos acontecimentos; depois saímos andando pela Avenida Afonso Pena e, como Frei Malthus ainda sofria da dor de cabeça provocada pelo perfume Muguet du Bonheur, de Hilda Furacão, desde a Noite do Exorcismo, fomos comprar uma aspirina; mesmo havendo a Drogaria São Félix na Avenida Afonso Pena, logo ali ele preferiu ir à Drogaria Araújo, na Rua Curitiba, quase na fronteira com a Zona Boêmia, que é a Avenida Santos Dumont; tomou a aspirina na própria drogaria e, mostrando-se subitamente preocupado com as atividades de Aramel, o Belo, voltamos à Avenida Afonso Pena depois do último olhar que ele deu para a Zona Boêmia e decidimos procurar Aramel, o Belo. Em nenhum momento nosso Santo falou no sapato da Cinderela.

7

Será o Benedito?

Aramel, o Belo, morava no apartamento 702 do Hotel Financial; no hall de entrada, aguardando o elevador, eu e Frei Malthus encontramos um personagem mitológico e um tanto folclórico, o ex-interventor de Minas e agora senador, Benedito Valadares, cacique e raposa do velho PSD; estava elegante, enfiado num terno cinza, o sapato preto, a gravata azul; vistos de perfil, seu rosto e cabeça pareciam desenhar o mapa de Minas.
— Será o Benedito? — cochichei com Frei Malthus.
— É ele mesmo.
Era um homem de grandes tiradas. Quando o ex-Governador de Minas, Juscelino Kubitschek, insistiu em ser candidato a Presidente da República, apesar do veto dos militares, Benedito Valadares quebrou ou seu mutismo e declarou aos repórteres:
— O Juscelino quer bancar o Tiradentes com o pescoço da gente.
Na minha inocência e entusiasmo de foca resolvi aproveitar a ocasião e fazer uma rápida entrevista com o senador sobre o que ele pensava da Cidade das Camélias.
— Cidade das Camélias? — respondeu quando já subíamos no elevador. — li e apreciei muito. É o melhor livro de José de Alencar.
Evidentemente, não pude publicar a declaração de Benedito Valadares na *Folha de Minas*, mas, dado que a velha raposa se fez de desentendida e confundiu Alexandre Dumas com José de Alencar (na hora brilhou uma ironia em seus olhos e a confusão parecia intencional), disse a Frei Malthus, quando deixamos o elevador no sétimo andar:
— Ouviu, não é? Se o Benedito está em cima do muro, é sinal de que a campanha pela Cidade das Camélias não vai tão bem das pernas.

— Bobagem — desprezou Frei Malthus, que na época era da UDN e militante do Clube da Lanterna, de Carlos Lacerda.
— O Benedito sempre esteve e estará em cima do muro.

Aramel, o Belo, não se achava em seu apartamento; tocamos a campainha cinco vezes e depois enfiamos um recado sob a porta pedindo que entrasse em contato comigo e com Frei Malthus com urgência. Mas a verdade é que Aramel, o Belo, estava fugindo de nós, como se saberá.

8

O Gordo e o Magro
(envolvendo um falso padre)

Na *Folha de Minas*, eu ocupava a sala do teletipo, que por sinal pertencia à UPI e estava mudo por falta de pagamento, e tinha como vizinhos o gordo e o magro; o magro mantinha-se em forma a duras penas e o gordo era tão gordo que ocupava uma cadeira especial, reforçada para suportar seus 180 quilos adquiridos à custa da cerveja e dos pastéis que devorava no célebre Mocó da Iaiá.

O magro era, como se dizia na época, dublê de juiz de futebol e de repórter esportivo; chamava-se Alcebíades Magalhães Dias e todos o conheciam como Cidinho Bola Nossa por causa de um episódio controvertido que aconteceu durante um jogo entre o Atlético, o time pelo qual torcia, e o América, quando, após uma lateral, o half esquerdo atleticano Afonso Bandejão perguntou:

— De quem é a bola, Cidinho?
— Bola nossa, Afonso — respondeu Cidinho.

Toda segunda-feira Cidinho sentava na velha Remington, onde faltavam as letras A, M e W, e fazia a análise de sua atuação como árbitro de futebol, escrevendo joias como esta, que só mesmo um jornal como a *Folha de Minas* poderia publicar e que pertence a meus arquivos:

"Doa a quem doer, a verdade é que o Sr. Alcebíades Magalhães Dias, o popular Cidinho, se houve com quase absoluta perfeição ao arbitrar o clássico das multidões do último domingo, entre Atlético e América, que levou uma multidão aguerrida ao Estádio Independência, o Gigante do Horto."

Mais adiante, depois de elogiar o seu bom preparo físico e criticar o árbitro rival, Fuad Abras, a quem chamava de obeso e em quem censurava o "amor exagerado pelo quibe":

"É de reconhecer, no entanto, já que o Sr. Alcebíades Magalhães Dias, o popular Cidinho, é feito do mesmo e vulnerável barro humano de Adão e Eva, que Sua Excelência cometeu um pecado, se levarmos em conta que o center-forward atleticano Mauro Patrus, autor do gol que definiu o placar a favor da equipe de Lourdes, estava em nítido e visível impedimento. Mas fala em defesa de Sua Excelência, o fato do popular Cidinho ter tido sua visão obstruída pelo centromédio atleticano Zé do Monte..."

E encerrava com chave de ouro:

"Somando, no entanto, os prós e os contras, é de justiça atribuir nota oito e meio ao Sr. Alcebíades Magalhães Dias, o popular Cidinho, por sua atuação. Mereceria nota dez, com louvor, não fosse o mencionado episódio do gol em nítido impedimento marcado por Mauro Patrus, mas o vilão desta história foi o player Zé do Monte."

Uma segunda-feira, Cidinho chegou à sala do teletipo muito assustado.

— O que aconteceu, Cidinho de Deus? — trovejou a voz do gordo.
 — Vi a morte de perto ontem, em Nova Lima — contou Cidinho. — Se não é a ajuda do Padre Eustáquio, eu estava morto.

Na verdade, só escapou de ser linchado pelos torcedores em fúria no chamado Alçapão do Bonfim, após o jogo Atlético x Vila Nova, porque conseguiu refugiar-se na matriz de Nova Lima e o vigário emprestou-lhe uma batina; vestido de padre entrou num ônibus que o trouxe a Belo Horizonte quando as rádios já o davam como morto.

9

O Gordo

Receio que neste ponto Tia Çãozinha (e também você, leitor) esteja impaciente e até um pouco irritada, o que nela é comum, embora passageiro como chuva de verão:
 — Se este escritor de meia-tigela que, Deus me livre e guarde, é meu querido sobrinho não contar logo se Frei Malthus vai ou não vai devolver o sapato da Cinderela, digo, de Hilda Furacão, paro de ler em sinal de protesto.

Bom, eu poderia dizer a Tia Çãozinha e aos leitores mais impacientes: o sapato da Cinderela reaparece na página tal, não longe desta. Mas aviso a Tia Çãozinha: querida tia, vá lendo página após página senão a senhora perde o fio da meada e detalhes sobre o gordo que era meu companheiro na sala de teletipos da *Folha de Minas*; afinal, vai ser para servir ao gordo, num estranho caso, que Aramel, o Belo, entrará ao vivo nesta narrativa, revelando sua atividade, que Tia Çãozinha queria conhecer, quando enviou ao narrador aquele telegrama sobre o boato.

Dito isso, convido Tia Çãozinha e os leitores a entrar comigo na sala de teletipo da *Folha de Minas*: lá está o gordo, sentado na sua cadeira especial para suportar seus 180 quilos, que o magro chama de "cadeira blindada"; ele mesmo se chama de "catilógrafo", vejam como bate a tecla com um único dedo e como tem o rosto suado e não para de fumar; reclama do ventilador que está com defeito e da horrível canícula. Agora, o gordo está escrevendo a coluna radiofônica que publica na *Folha de Minas* e que assina com o pseudônimo com que será conhecido nesta narrativa: Emecê. Começa sempre com uma nota falando mal da televisão; cheguem comigo às costas do gordo, leiam sua diatribe, como diz, contra sua inimiga mortal:

"A televisão não é uma invenção de Deus: é uma invenção do Diabo."

A coluna do gordo na *Folha de Minas* é pouco lida, mas a crônica que Emecê escreve diariamente para a Rádio Inconfidência e que vai ao ar quando faltam cinco minutos para o meio-dia, de segunda a sexta-feira, e é lida com voz melosa e dramática pelo radioator Seixas Costa, é líder de audiência, ganha até mesmo da TV Itacolomi; por causa dessa crônica, que tem o título de "Falando aos corações", Emecê recebe dezenas de cartas, a maioria, cartas femininas e perfumadas que atulham os bolsos de seu paletó de brim, que imita linho, cor de areia.

Sempre que um de nós encontrava Emecê descendo ou subindo a escada da *Folha de Minas*, tinha que esperar: naquela escada só cabia um gordo, ele, Emecê, e o gordo subia e descia a escada mais de uma vez por dia, costumava sair para comer pastéis no Mocó da Iaiá e se a fome era grande ia ao Café Palhares e, "à guisa de lanche", como falava, devorava um *caol*, naquela tarde, dias após a Noite do Exorcismo na Rua Guaicurus, quando deixei Frei Malthus na porta do Hotel Financial e ia para a redação da *Folha de Minas*, ao passar diante do Café Palhares, um vozeirão inconfundível chamou:

— Vem cá, menininho!

Era de "menininho" que o gordo me chamava.

— Antes de mais nada — trovejou, logo que cheguei ao balcão do Palhares, onde estava de pé, porque o banco fatalmente desabaria ao peso de seus 180 quilos — parabéns pela cobertura sobre o sapato da Cinderela. Supimpa, menininho. Supimpa. Não come um *caol* comigo?

— Obrigado. Comi um ainda agora aqui mesmo no Palhares, com Frei Malthus.

— Ué, com o Santo? Então o menininho fez camaradagem com o Santo?

— Somos amigos de infância — expliquei ao gordo. — Muito amigos.

— Quero morrer seu amigo, menininho. Sabe quem telefonou para o menininho, muito preocupada porque ainda não encontrou o sapato de Cinderela que perdeu no meio da confusão na Guaicurus? — e cheio de malícia, piscando o olho e abaixando o vozeirão: — Hilda Furacão. Pediu para o menininho ligar para ela.

Tomado de súbita pressa eu ia saindo quando o gordo, antes de debruçar bravamente sobre o *caol*, perguntou:

— O menininho quer ganhar um xilipe?

Xilipe era um pagamento extra, único dinheiro vivo que circulava na *Folha de Minas*, por um trabalho também extra; ainda quando eu escrevia a coluna "Vida estudantil", o gordo pagava-me xilipes para escrever textos sobre as batalhas de carnaval que promovia e o concurso para a escolha da Miss Escurinha. Então, quando ele falou em xilipe, de maneira alguma eu poderia imaginar o que, na verdade, e para meu espanto, ele queria; imaginava que poderia ser alguma coisa sobre o carnaval e a escolha do Rei Momo, que ele também promovia.

— Quer ou não quer ganhar o xilipe, menininho?

— Claro que quero, Emecê.

— Então, menininho, quando terminar o trabalho, passa no Mocó da Iaiá que você toma uma *loura* comigo e eu explico o que você terá que fazer.

10

No Mocó da Iaiá

O Mocó da Iaiá, onde até então eu nunca tinha ido, ficava perto da redação da *Folha de Minas* e do *Binômio*, quase na esquina de Carijós com Curitiba, numa casa velha cujos dias pareciam estar contados pelo olho gordo da especulação imobiliária. Quando desci as escadas da *Folha de Minas*, feliz com a repercussão de meu trabalho, o que enchia de orgulho meu guia e mestre Felipe Drummond, eu me perguntava:

— O que, diabo, Emecê quer comigo?

Emecê não era um gordo convicto, se é que existe algum gordo convicto, a não ser, por certo, os candidatos a Rei Momo. Já passava dos 40 anos e havia desistido de todos os regimes e fórmulas mágicas para emagrecer, mas não tenho certeza se queria realmente se desfazer dos noventa ou cem quilos a mais que tinha. Na sua conturbada alma, os 180 quilos, frutos principalmente de um desvairado amor pelos pastéis, os miúdos de frango, principalmente a moela, a cerveja e o *caol* do Café do Palhares, funcionavam como uma espécie de amuleto e conferiam status a um pobre coração tomado por um maldisfarçado complexo de inferioridade por causa da cor: Emecê era mulato e isso doía nele.

A tragédia de Emecê, hoje eu pergunto, era a tragédia de um gordo feio ou a tragédia de um mulato gordo, numa sociedade que na época exaltava o tipo masculino pelo figurino de Hollywood? Além da penitência de subir e descer a escada da *Folha de Minas*, os 180 quilos de Emecê impunham-lhe evidentes constrangimentos, desgostos, vexames e frustrações. A "cadeira blindada" que ocupava na sala de teletipos da *Folha de Minas*, por exemplo, exigia frequentes reparos. Era sentado nela, fumando um cigarro atrás do outro, que Emecê escrevia sua crônica de enorme sucesso na Rádio

Inconfidência, pela qual recebia uma miséria, mas que fez famoso seu nome, jamais sua imagem, pois Emecê fugia das fotografias e com mais razão ainda fugia das câmaras de sua inimiga maior, a televisão.

Até então eu pouco sabia de Emecê; a partir daquele encontro no Mocó da Iaiá eu iria saber o que realmente doía em sua alma; ia conhecer seu drama de homem que se julgava feio e que, além de feio, era gordo e mulato e de origem humilde e cujo sofrimento maior acontecia na hora de fazer amor com uma mulher. Em que posição devia ficar a mulher? E a cama: não ia desabar? Que mulher, por mais atração e amor que sentisse, suportaria um gordo como Emecê em cima dela?

— Você me vê assim, gordo, não é? — diria um dia Emecê.
— Mas o que me estraga é essa minha alma de passarinho.

Suas crônicas na Rádio Inconfidência, no entanto, tornaram-no famoso e alvo do interesse das mulheres, que lhe enviavam apaixonadas cartas; até pedido de casamento recebia — mas sofria terrivelmente: imaginava que as fãs escreviam para ele porque, sendo um homem de rádio, não de televisão, não conheciam sua imagem gorda, feia, mulata, e por isso sonhavam com um príncipe encantado.

Mas é preciso ir ao Mocó da Iaiá, onde Emecê está à espera.

11

Em Que Gabriela M.
faz Sua Primeira Aparição

Quando entrei na escuridão enfumaçada do Mocó da Iaiá, minha primeira atitude foi deixar a vista acostumar, como é aconselhável fazer quando entramos num cinema e o filme já começou e tudo parece mais escuro do que é na verdade.

Jamais pensara em ser um habitué do Mocó da Iaiá, mas a partir daquela noite, sim, para fazer companhia a Emecê, tornei-me frequentador assíduo.

Logo que minha vista se acostumou, vi lá no fundo do Mocó da Iaiá a mesa que Emecê ocupava; aproximei-me: havia uma fila de garrafas de cerveja vazias enfileiradas sobre a mesa, dava para ver o maço de Lincoln com um isqueiro em cima, e Emecê sentado numa cadeira especial, feita de concreto. Quando puxei uma cadeira, esta de madeira, Emecê trovejou com seu vozeirão para o dono do Mocó da Iaiá:

— Oh Silveira! Desce uma *loura* e um copo!

Sem esperar a chegada da cerveja devorou um pastel de carne acenando para eu comer um, tirou do bolso interno do paletó cinza, pendurado na cadeira de cimento, uma lauda de redação, acendeu o isqueiro para melhorar a iluminação reinante e me deu para ler; era sua crônica do dia seguinte, que o radioator Seixas Costa leria faltando cinco para o meio-dia na Rádio Inconfidência; falava com grande ternura e simpatia no sapato perdido por Hilda Furacão e, nas entrelinhas (como cronista, Emecê era o mestre das farpas nas entrelinhas), se punha contra a Cidade das Camélias; ainda hoje, sei trechos da crônica:

"Ah, Rua Guaicurus de todos os pecados; teu destino, rua dos meus amores pobres e adolescentes, é durante o dia cheirar ao café descarregado nos armazéns das adjacências e ao suor dos deserdados do mundo, e de noite, mágica que tu és e hás de continuar sendo, tens o perfume de nossas ilusões, pecaminosas eu sei, mas sempre ilusões..."

E, mais adiante, fechando a crônica:

"Quanto ao sapato perdido ao sabor da intempérie pela Gata Borralheira, este vosso cronista e servo, que tem alma de passarinho, ousa dizer a todos, em feitio de interrogação: e se na verdade, porque o lá de cima ama escrever certo por linhas tortas, e se na verdade o sapato é mágico e a Gata Borralheira é a fada de nossos sonhos, a Cinderela que cada um de nós tem no coração? E se for assim, meus irmãos de pecados e de sonhos?"

Quando acabei de ler estava emocionado e disse ao gordo Emecê:
— É maravilhosa! Simplesmente maravilhosa!

O que o sucesso do dia seguinte confirmou: o telefone da Rádio Inconfidência não parava de tocar, tocava também o da *Folha de Minas*, pois a telefonista da rádio encaminhava as ligações para Emecê, que eu e Cidinho Bola Nossa atendíamos fingindo que éramos ele; o certo é que Emecê era dois: como comentarista escrevia sem qualquer inspiração, usava clichês e frases feitas, mas como cronista entregava-se à sua alma de passarinho e era outro.

Mas o que Emecê queria comigo?

Apagou com um forte sopro o isqueiro, guardou a crônica no bolso interno do paletó, pediu outra *loura* ao Silveira e tirou do bolso externo do paletó (quantos ternos cor de areia tinha?) um pacote de cartas de uma fã; então acendeu novamente o isqueiro e trovejou:
— Leia isso, menininho!

Ali estavam cartas de uma fã que assinava Gabriela M., e eu comecei a ler. Onde Emecê queria chegar? Por que pedia que eu lesse as cartas? Quando acabei, estendeu a fotografia de uma moça loura incrivelmente bonita.
— É ela — disse.
— Ela, quem? — perguntei.
— Gabriela M. — respondeu.

Emecê guardou a fotografia no bolso do paletó e me deu para ler um bilhete em que Gabriela M. dizia, com a mesma letra redonda e sonhadora:

"Vou esperá-lo na próxima sexta-feira às 8 da noite na Praça Marília de Dirceu. Estarei de vestido vermelho, com

uma bolsa também vermelha, e você me reconhecerá pela fotografia. Um beijo, Gabriela M."
— E você vai encontrá-la, não é, Emecê?
— Aí é que está — respondeu. — É aí que você entra, menininho.
— Eu? — estranhei. — Mas como?
Emecê abaixou o vozeirão e disse:
— Eu quero que você vá encontrá-la em meu lugar, menininho.
— Mas como, Emecê?
— Você vai encontrá-la como se você fosse eu. Está entendendo agora, menininho?
Não, eu não estava entendendo.
— Quero contratá-lo profissionalmente. Posso pagar um bom xilipe. Quanto você quer para ir ao primeiro encontro? Depois combinaremos o pagamento para os encontros futuros.

Eu não podia acreditar naquilo, nem mesmo sabia se recusava ou se aceitava a proposta de Emecê, já que era uma experiência que se anunciava excitante. Mas eu tinha um só pensamento: a bela B. Foi então que tive uma ideia e disse:
— Tenho uma pessoa que pode fazer tudo melhor do que eu.
— E quem é? — perguntou Emecê.
— Um amigo meu.
— E como ele é, menininho?
— Bonito. Muito bonito. É considerado o homem mais bonito do Brasil. É conhecido como Aramel, o Belo.
— É mesmo? — disse Emecê candidamente. — E é uma pessoa de confiança?
— De absoluta confiança — respondi. — E ele vai gostar de fazer isso porque quer ser ator. O sonho dele é fazer cinema em Hollywood.
— E que dia posso falar com esse Aramel, o Belo?
— Amanhã — respondi.
— Aqui mesmo — sugeriu Emecê. — Às 9 da noite, aqui no Mocó da Iaiá.

12

ARAMEL, O BELO, E O VILÃO

Como eu já disse, Aramel, o Belo, morava no apartamento 702 do Hotel Financial; na época, eram hóspedes lá, fixos ou ocasionais, muitos políticos, deputados e senadores, como o já citado Benedito Valadares, e, a acreditar em Pina Manique, a irreverente colunista do semanário *Binômio*, nenhum deles pagava nada — era uma cortesia do dono do Hotel Financial, considerado, aliás o homem mais rico do Brasil, mais rico até que o famoso Conde Matarazzo; era dono da metade de Belo Horizonte e possuía o hotel, uma usina de açúcar, oito fazendas, milhares de cabeças de gado, os cinemas da cidade, à exceção de dois, e até um avião que nas noites de insônia pilotava nos céus de Belo Horizonte, dando voos rasantes nas casas das amantes que chegaram a ser 365 numa determinada fase da vida de quem queria ser não apenas o homem mais rico do Brasil, mas também o gavião número um do Brasil; e todas as amantes eram belas, todas jovens, todas pobres, pois o cheiro da pobreza era seu afrodisíaco, mais eficiente do que as injeções ou os preparados importados do Japão. Médico que nunca exerceu a profissão, a não ser para consumo próprio, tomava, com os estimulantes sexuais, remédios e drogas para 27 doenças imaginárias que, como hipocondríaco número um, ele cultivava; às amantes se referia assim:

— São as minhas coelhinhas!

Aramel, o Belo, também nada pagava como hóspede permanente do Hotel Financial; Tia Ciana diria:

— Deus me livre e guarde!

Já Tia Çãozinha, interessadíssima nas atividades de Aramel, o Belo, pensará o contrário:

— Conte logo ou abandono de vez este livro. Já basta ter que imaginar se Frei Malthus vai devolver ou não o sapato da Cinderela!

Aramel, o Belo, trabalhava para o dono do Hotel Financial; tinha um cartão com seu nome impresso onde se lia: Assessor de Assuntos Especiais; seu trabalho consistia em conquistar pobres e belas moças e depois entregá-las nas mãos do... direi o nome verdadeiro ou não? Fico em dúvida. Ele será, quanto a este ponto não tenho dúvida, talvez o grande vilão desta história (ainda que outros vilões apareçam, ganhando nomes de heróis). Até aqui todos os personagens, sem exceção, como Hilda Furacão, Frei Malthus, o gordo Emecê, Aramel, o Belo, e o próprio narrador apareceram com seus nomes verdadeiros; quando nada, tiveram suas iniciais reveladas, como a bela B. ou o sobrenome limitado a uma letra, como Gabriela M., que não tarda a aparecer fisicamente daqui a pouco. Por que, então o receio de dar ao vilão o nome verdadeiro? Será porque ele é tão poderoso? Digo a mim mesmo:

— Posso identificá-lo apenas pelas iniciais, como fiz com outros personagens. Por exemplo: A. L. Ou sendo um pouco mais explícito: Antônio L. Ou, quem sabe, arranjo-lhe um pseudônimo, tipo Luck Strucky?

Penso bem e decido — vou chamar o vilão pelo nome verdadeiro: Antônio Luciano, ele que era conhecido também como Luciano do Banco, antes de o Banco Financial falir, na maior corrida a um banco que já houve no Brasil (em três dias foi à falência, dando prejuízos a milhares de clientes, que nunca receberam o dinheiro depositado, como aconteceu a Tia Çãozinha e a Tia Ciana).

Mesmo tendo uma amante para cada dia do ano, catalogadas em fichas com nomes, endereços, telefones, os pontos francos e até as flores de que gostavam, nosso vilão era um homem solitário; tinha a mulher principal, com quem era casado, mas raramente ia à casa, num verdadeiro latifúndio urbano; morava sozinho no último andar do Hotel Financial;

minto: tinha a companhia de uma onça pintada, conhecida como Teresa, que vivia solta, pois era mansa com ele, mas, como veremos, ameaçava os raros visitantes. Ele foi, na mocidade, um rapaz pobre; já como estudante de medicina começou a formar sua imensa fortuna: era agiota, cobrava juros dos colegas e todo dinheiro que conseguia aplicava em imóveis — daí ter comprado todo o cinturão de lotes que envolve Belo Horizonte.

Nosso vilão contratava rapazes bonitos, em geral em desespero ou em penúria financeira, rapazes desempregados, como Aramel, o Belo, para conquistar as virgens de que precisava, sempre belas, sempre pobres. Tinha vários don juans de aluguel a seu serviço e duas metas a alcançar: ser pai de cem filhos, cujas mães já brigavam com ele na Justiça por causa da herança, e atingir mil amantes registradas em seus "arquivos implacáveis", como dizia.

Aramel, o Belo, não tinha salário: recebia uma ajuda de custos para as despesas de um don juan profissional e ainda o carro, um Karman Ghia vermelho, a gasolina e as roupas elegantes que usava. Tinha ainda à sua disposição o apartamento 702 no Hotel Financial, com direito a bebidas importadas para minar as resistências das jovens presas, e ganhava uma gratificação extra por conquistas.

— Mas não posso deflorar nenhuma delas — confessou Aramel, o Belo. — Isso é com ele.

Eu dizia a Aramel, o Belo:

— Você está brincando com fogo.

Em várias ocasiões insisti para que Aramel, o Belo, abandonasse aquilo, mas respondia que estava juntando dinheiro para realizar seu sonho: conquistar Hollywood; foi a partir dessa época que passou a fugir de mim e de Frei Malthus, mas, quando o procurei para falar no caso do gordo Emecê, tive a sorte de encontrá-lo almoçando no restaurante do Hotel Financial; ficou muito interessado; era um teste de ator para ele, que não desistia de conquistar Hollywood.

— Só tem um perhaps — disse Aramel, o Belo, com sua mania de introduzir palavras em inglês na conversa. — Não posso fazer isso por amor à arte. Vou gastar meu tempo, e time is money.

Expliquei que isso ele devia conversar à noite com Emecê, que estava disposto a pagar por seus serviços, e após anotar o endereço do Mocó da Iaiá, Aramel, o Belo, sorriu:

— Tenho lido suas reportagens. Estou no maior orgulho, caramba! Quando digo que sou seu amigo ninguém acredita. E o nosso querido Santo, hein? Não está aqui quem falou, mas se ele brincar com Hilda Furacão era uma vez um Santo.

13

Tratando de Negócios

De noite, no Mocó da Iaiá, houve certo suspense: Aramel, o Belo, ia aparecer ou não? Enquanto isso, tive uma demonstração da fúria com que Emecê devorava pastéis — diverti-me contando: foram 45 na meia hora em que Aramel, o Belo, atrasou. Quando já não esperávamos mais por ele e Emecê dizia "se ele não vier, vou ter que contar com você", eis que, desculpando-se pelo atraso, ali estava Aramel, o Belo. Antes de começar a discutir quanto ia ganhar para passar por Emecê, viu a fotografia de Gabriela M. à luz do isqueiro deste.

— É um chuchu — disse Aramel, o Belo. — É mesmo um chuchuzinho.

— Pois é — falou Emecê. — Você é quem devia me pagar. Estou pondo um torresminho em suas mãos.

— Sou um ator, Emecê. Ou você é a favor dos artistas morrerem de fome?

Sorrindo, Emecê estendeu o prato de pastel para Aramel, o Belo, que repetia:
— Essa Gabriela M. é mesmo um chuchuzinho.

Por fim, após muita discussão, os dois chegaram a um acordo financeiro. Agora, era esperar a noite em que o falso Emecê iria ao encontro de Gabriela M. na Praça Marília de Dirceu.

14

Esperando Gabriela M.

Emecê tinha um Impala de terceira mão; quando o comprou, não era tão gordo, ainda assim tinha feito uma adaptação no banco dianteiro e conseguia se enfiar lá e pegar o volante, mas quando Gabriela M. começou a escrever cartas apaixonadas, acenando com um encontro, o consumo de pastéis e de *caol* no Palhares dobrou e Emecê engordou; assim, naquela noite, quando nos preparávamos para ir à Praça Marília de Dirceu assistir ao encontro do falso Emecê com Gabriela M., a operação para Emecê entrar no Impala foi particularmente difícil e penosa. Na frente só cabia Emecê — ocupei o banco de trás: ele ficou espremido junto ao volante e, tombado para um lado ao peso dos 180 quilos, o Impala seguiu brava e heroicamente até a Praça Marília. Emecê estacionou-o num ponto estratégico, no escuro de uma árvore, de onde tínhamos uma excelente visão, sem despertar suspeitas. O gordo fumava sem parar e eu aproveitava o *se-me-dão* e também fumava muito. Eram 8 da noite. O encontro seria às 8 e 15. Às 8 e 10, Aramel, o Belo, desceu do Karman Ghia, que estacionou longe do Impala de Emecê, e ficou andando na Praça Marília de Dirceu. Aos poucos, como Gabriela M. não aparecia, demonstrava impaciência e sua impaciência refletia-se em nós.

— E se ela não vier? — trovejou Emecê. — Hein?

Fiquei calado, ouvindo o ronronar da respiração de gordo de Emecê; algum tempo depois (cinco, dez minutos?) chegou Gabriela M., de vestido vermelho, como anunciou, a bolsa também vermelha. Era uma ninfeta, mais bonita do que na fotografia enviada a Emecê, e apertou alegremente a mão de Aramel, o Belo, e ficaram andando para lá e para cá; depois foram se sentar no banco da praça. No dia seguinte, Aramel, o Belo, fez um relatório completo para Emecê sobre o que conversou com Gabriela M. e recebeu seu pagamento no Mocó da Iaiá: os encontros repetiram-se outras noites e Emecê escrevia apaixonadas crônicas baseadas nos informes que recebia. Quando, finalmente, numa noite de sábado Aramel, o Belo, e Gabriela M. desapareceram no escuro debaixo das árvores da Praça Marília de Dirceu e deu para adivinhar o que estava acontecendo, Emecê teve uma crise de choro abraçado ao volante do Impala. No ritmo de seus soluços todo o Impala tremia, como se também chorasse.

15

Esta Noche me Emborracho

O gordo Emecê entrou em crise: suspeitava que Aramel, o Belo, tinha encontros secretos com Gabriela M., mas não deixava de ir à Praça Marília de Dirceu e eu sempre o acompanhava; para manter o jogo com Gabriela M. e deixá-la na ilusão de que Aramel, o Belo, era realmente ele, Emecê seguia escrevendo e lendo apaixonadas crônicas na Rádio Inconfidência, que enfureciam as fãs enciumadas — sua correspondência atingiu índices inéditos; cobrava de Aramel, o Belo, relatórios detalhados e certa noite, no Mocó da Iaiá, aconteceu uma cena inacreditável: Aramel, o Belo, pediu aumento e Emecê negou, dizendo com seu vozeirão:

— Você pegou o boi. Pus nas suas mãos um torresminho e você ainda quer aumento?

— E meu trabalho de ator? — reagiu Aramel, o Belo.

— Seu aprendizado de ator, não é?

— Está bem, Emecê. Sinto muito, mas você vai ter que arranjar outro.

— Pelo amor de Deus, não faça isso — implorou Emecê.

— Dobro seu xilipe e não se fala mais nisso.

Na noite em que Gabriela M. entrou no Karman Ghia de Aramel, o Belo, Emecê bebeu mais do que de costume no Mocó da Iaiá, para onde fomos, e cantava um sucesso de Gardel:

"Esta noche
me emborracho..."

Já de madrugada, quando decidiu ir para a casa em Santa Teresa, tomando um táxi, pois não conseguia dirigir o Impala, eu e o Silveira o ajudamos a chegar na rua, mas Emecê escorregou e caiu; tentamos levantá-lo e, como não conseguimos, Silveira chamou alguns boêmios retardatários que ainda bebiam no Mocó da Iaiá para ajudar. Foi um esforço inútil e Silveira desabafou:

— Só com um guindaste!

Bom, Emecê ainda fará algumas pontas nesta narrativa, o que considero sinceramente uma pena — mas assim aconteceu. Já Aramel e Gabriela M. terão aparições alegres e descomprometidas e é bom que se divirtam porque boas coisas não os esperam mais para o final.

16

O Rei, o Príncipe, o Santo e um Poeta Bem-dotado

Desde a Noite do Exorcismo, o noticiário vinha sendo simpático a Hilda Furacão, os jornais davam suíte sobre o sapato da Cinderela, e a Cidade das Camélias perdia adeptos; as próprias enquetes de rua, tão usadas pelos jornais numa época em que o Ibope engatinhava e só a Marplan pesquisava as tendências de opinião pública, mostravam a mudança — e crescia o número de indecisos.

Faltavam poucos dias para a Câmara Municipal de Belo Horizonte votar o projeto da Cidade das Camélias, de autoria, como foi falado, do Padre Cyr, líder da bancada do PDC, quando causou frisson um levantamento feito pelo radialista Januário Carneiro e divulgado pela Rádio Itatiaia, cuja sede era no célebre edifício conhecido como "balança mas não cai": se o projeto fosse votado hoje, ao contrário de antes da Noite do Exorcismo, quando seria aprovado com a vantagem de dois votos, a votação ficaria rigorosamente empatada — sete vereadores a favor, sete contra e quatro indecisos. Teve início a batalha para conquistar os indecisos.

Dona Loló Ventura, o Padre Cyr e Dona Maryjane, do comitê das mal-amadas (a ala feminina do Clube da Lanterna), decidiram dar a cartada final; iam sair às ruas, não, dessa vez não iriam à Rua Guaicurus, não, dessa vez convocariam o generoso povo católico mineiro para rezar uma ave-maria diante da Câmara Municipal, na Rua da Bahia, quando um orador daria o fecho de ouro à manifestação. Tudo poderia dar certo, mas Dona Loló, o Padre Cyr e Dona Maryjane esqueceram-se de um detalhe precioso.

Engana-se quem pensar que era devido à ausência do Santo que, não sei se ficou bem claro, tinha se afastado do movimento; Dona Loló, por via das dúvidas, tentou preencher a vaga, convidando para substituí-lo Frei Martinho Penido Burnier, cuja crônica no *Diário Católico* era muito respeitada e lida; mas Frei Martinho, ainda que nesse tempo estivesse mais à direita do que o nosso Santo em termos políticos, desculpou-se:

— Pretendo iniciar um trabalho junto às madalenas ou camélias para levar Cristo a seus desamparados e aflitos corações. Sendo assim, devo me resguardar.

De qualquer forma, Dona Loló Ventura, o Padre Cyr e as mal-amadas marcaram a manifestação para a noite de quarta--feira, 15, poucos dias antes de a Câmara Municipal votar o projeto da Cidade das Camélias; carros com alto-falantes saíram às ruas convocando o povo: "Vá rezar uma ave-maria em defesa da moral, da família e dos bons costumes. Quarta--feira, dia 15, em frente à Câmara Municipal às 8 da noite. Ato pró-Cidade das Camélias. Não deixe Belo Horizonte se transformar em Sodoma e Gomorra". Os muros e os postes da cidade recebiam cartazes chamando para a manifestação, panfletos eram distribuídos e até um Cessna exibindo uma faixa alusiva ao ato sobrevoou Belo Horizonte. Entrevistei Dona Loló Ventura e ela disse:

— Olha, coração, vai ser a pá de cal!

Quando perguntei sobre o grande ausente, Frei Malthus, Dona Loló disse desconsolada: "Veja, coração, passei cinco telegramas urgentes para o Santo, que está em Santana dos Ferros, e não obtive resposta". Preferia culpar os Correios e Telégrafos, como boa militante do Clube da Lanterna que era:

— É uma esculhambação. Nada funciona neste país, coração.

Mas "se de todo, malgrado nossos esforços", o Santo não puder estar presente, Dona Loló teria um grande nome para substituí-lo como orador, coração. Mesmo porque estava informada que Frei Malthus exercia em Santana dos Ferros uma missão em prol da moral e dos bons costumes: convencer o vigário de lá a retirar da igreja matriz "um mural obsceno, mostrando Adão nu".

— Quem é o grande nome, Dona Loló? — perguntei.
— É segredo, coração. Está guardado a sete chaves. Mas tão logo eu puder falar, não deixarei você levar "furo".

Nesse mesmo dia recebi uma carta de Tia Çãozinha e o P.S., como sempre maior do que a carta, era muito mais revelador; ela escreveu, coitada, para "abrir o coração", pois já não dormia, preocupada com Tia Ciana, decidida mesmo a fazer a greve de fome contra a presença de Adão nu no mural da igreja, apesar das advertências quanto à sua saúde delicada feitas pelo irmão e médico, Tio Júlio Drummond; Tia Ciana ganhou muitos adeptos não apenas para entrar andando de costas na igreja e não ver Adão com suas vergonhas de fora, mas também para a vigília noturna diante da padroeira, Santana, cuja imagem outrora foi pescada nas águas do Rio Santo Antônio e era atribuída ao Aleijadinho, para que expulsasse o Adão nu de sua igreja; agora, Tia Ciana e suas seguidoras já não queriam vestir Adão, esconder suas vergonhas com um pano ou um plástico, não: a pintora Yara Tupinambá, numa entrevista dada À TV Itacolomi, fez algumas revelações que aborreceram até mesmo o Padre Geraldo Cantalice; ela disse, por exemplo, que ao pintar o Adão nu, cuja controvérsia acabava de merecer registro na revista *Time* (cujo exemplar ela mostrou na televisão), usou um modelo vivo, um jovem ator desempregado a quem pagou para posar nu e era, portanto, o modelo de Adão.

— Não fiz nada demais — explicou Yara Tupinambá. — Miguel Ângelo também pagou a uma mulher romana para posar para sua *Pietà*.

Quando o entrevistador Carlos Gaspar perguntou à autora do polêmico mural se todo o Adão nu, dos pés, à cabeça, era inspirado no jovem ator desempregado, aí é que a pintora complicou tudo:

— Dos pés à cabeça propriamente não — explicou. — Para um pequeno detalhe de Adão me inspirei no poeta com quem sou casada.

Fazendo-se de desentendido, Carlos Gaspar, enquanto pedia a câmera para mostrar a foto do Adão nu na revista *Time*, insistiu:

— Mas que "pequeno detalhe" é esse?

— Ora, o "pequeno detalhe", uai — disse Yara Tupinambá.

— Convenhamos — observou sarcasticamente Carlos Gaspar levando a TV Itacolomi a sair do ar na hora —, mas não "é um detalhe" tão pequeno assim: com efeito, o poeta é um bem-dotado. Será que nasceu em Itu?

Tia Çãozinha dava razão a Tia Ciana, afinal, o Adão nu era um ator desempregado, um mercenário, e o "pequeno detalhe" de Adão, que Tia Ciana preferia chamar mesmo de "as vergonhas de Adão", era inspirado num poeta; assim, a vigília noturna diante da imagem de Santana na igreja matriz cresceu e, apesar de Tio Júlio Drummond ter avisado que Tia Ciana corria risco de vida se fizesse a greve de fome, ela jurava, visivelmente influenciada pela carta testamento de Getúlio Vargas (a quem, contraditória como era, admirava incondicionalmente desde seu tempo de ditador):

— Se preciso, ofereço minha vida em holocausto de Santana e principalmente da moral dentro da casa de Deus.

No P.S. de sua carta Tia Çãozinha falava na decepção da "pobre Ciana", que esperava contar com o decidido apoio de Frei Malthus para sua guerra contra o Adão nu e, estranhamente, "o Santo virou a casaca" e disse a Tia Ciana que o painel mostrava Adão em "toda a inocência da sua veracidade bíblica"; recusou apoiar o movimento para entrar de costas na igreja e ele próprio, Frei Malthus, fez questão de entrar de frente, coagindo a pobre Nhanhá, sua mãe, a imitá-lo. Tia Çãozinha dava notícias em seu P.S. dos cinco telegramas enviados ao Santo por Dona Loló Ventura, convocando-o para a grande manifestação em Belo Horizonte. Para surpresa de Dona Nhanhá, o Santo rasgou-os um a um à medida que iam chegando e jogou no lixo, sem enviar qualquer resposta. Toda manhã o Santo saía para pescar, mas nunca trazia peixe algum, e a beata Fininha, frequentadora assídua da casa do Santo, descobriu, após ligar alguns fatos, que Frei Malthus levava a vara e o anzol, mas jamais levava as iscas; sentado na beira do rio queimava-se ao sol, ganhando uma cor "incompatível com a palidez de Santo"; e, a acreditar no depoimento da beata Fininha, enquanto "pescava" conversava com o Rio Santo Antônio em latim ou num dialeto que apenas os Santos e os rios entendem, e que, valei-me Deus pai, o "dito dialeto", a beata Fininha suspeitava que era o russo.

A estranheza de Frei Malthus ganhava mais um item no P.S. de Tia Çãozinha: o grande consumo de geleia de jabuticaba, que Dona Nhanhá mantinha em estoque, mas, preocupada com a possibilidade de faltar, perguntava a todos se não tinham notícia de jabuticabas temporãs para fazer geleia naquela emergência; nesse ponto, concluí: Frei Malthus estava em crise e devia estar sofrendo muito. Toda tarde — informava ainda o P. S. de Tia Çãozinha — o Santo fazia longas caminhadas a pé pela cidade e provocou um novo choque em Tia Ciana, com um gesto que ela, Tia Çãozinha, data venia, "fazia questão de apoiar e aplaudir": se o Padre Geraldo Cantalice permitia os bailes de carnaval, antes proibidos, sem que os sinos dobrassem em protesto; se permitia que as moças exibissem as pernas nas praias do rio, usando "maiôs ousadíssimos"; se os namorados já podiam beijar-se livremente sem ser advertidos por um sacristão ou um soldado; se já era assim, no entanto, as três prostitutas mais velhas e conhecidas de Santana dos Ferros, Alição, Alice e Alicinha, nas quais já falei, continuavam confinadas: só podiam deixar o beco onde moravam para ir até a metade da ponte gozar a fresca da tarde.

Ah, o que fez nosso Santo?

Colheu as três mais belas rosas dos canteiros que a pobre Dona Nhanhá tratava com tanto desvelo e carinho, as rosas que ela oferecia a Santana, e pouco se importando se era ou não seguido pela beata Fininha, ofereceu uma rosa a Alição, outra a Alice e a terceira a Alicinha; feito isso, prometeu às três:

— Vou agora mesmo sugerir a Padre Geraldo Cantalice que revogue esse confinamento, essa proibição absurda que fere a bondade que o Cristo tem no coração.

E cumpriu o que prometeu: sempre seguido pela beata Fininha, entrou na casa paroquial e o Padre Geraldo Cantalice não apenas atendeu à sugestão do Santo: pediu que fizesse "a gentileza cristã" de comunicar em seu nome às três madalenas que eram livres para ir e vir, livres até mesmo para frequentar as três igrejas. Então, para surpresa maior da beata Fininha, que era onipresente, Frei Malthus convidou para acompanhá-lo na missão o poeta Geraldo Matta Machado e o dentista prático Dodô Caldeira, os quais em outros tempos chamava de "perigosos hereges" e agora, com tapinhas nos ombros, chamava de "meus queridos hereges".

Tia Çãozinha não deu notícias sobre o sapato da Cinderela, mas forneceu uma pista: a beata Fininha jurava que, olhando pelo buraco da fechadura do quarto do Santo, o viu ajoelhado junto à cama fazendo uma adoração, não a imagem santificada, mas a "alguma coisa", quem sabe um amuleto que brilhava tanto que "cegou" momentaneamente a visão da beata Fininha.

(A leitura do longo P.S. de Tia Çãozinha levou-me a algumas suspeitas que devo partilhar com os leitores:

• A mudança de Frei Malthus com a relação ao confinamento das três prostitutas Alição, Alice e Alicinha parecia indicar que nosso Santo tinha mudado de opinião quanto à Zona Boêmia de Belo Horizonte e a construção da Cidade das Camélias?

• O gesto de Frei Malthus, jogando no lixo os cinco telegramas de Dona Loló Ventura convocando-o para a manifestação do dia 15, sugeria que se desligava do movimento a favor da Cidade das Camélias?

• Até era possível indagar se as rosas que Frei Malthus deu a Alição, Alice e Alicinha simbolizavam a rosa que gostaria de dar a Hilda Furacão?)

Cinco dias antes da concentração, quando toda a cidade estava inundada de propaganda e anúncios pagos nos jornais e nas rádios, Dona Loló Ventura, o Padre Cyr e Dona Maryjane, das mal-amadas, procuraram o jovem bispo auxiliar de Belo Horizonte, Dom Serafim Fernandes de Araújo para ser o orador da noite; ele sorriu muito simpaticamente e respondeu:

— Dona Loló, a senhora, Padre Cyr e Dona Maryjane não tinham outro dia para fazer a manifestação? Pois na quarta-feira, dia 15, às 9 da noite, o Santos, com Pelé vestindo a camisa 10, estará enfrentando o Atlético no Estádio Independência... e vão me perdoar... mas jogo do Atlético não perco por nada deste mundo.

Toda a cidade começou a falar do jogo Atlético e Santos; travou-se uma guerra de carros com alto-falantes e aviões com faixas, uns convidavam para ver o Atlético contra o Santos do Rei Pelé, outros chamavam para uma ave-maria para evitar que Belo Horizonte se tornasse Sodoma e Gomorra; ao que parece, era maior a paixão pelo Atlético — cuja torcida torce contra o vento se há uma camisa branca e preta pendurada no varal durante uma tempestade —, pois o Gigante do Horto foi pequeno para tanta gente e um estádio inteiro ficou do lado de fora, enquanto só uns gatos-pingados compareceram à manifestação a favor da Cidade das Camélias, para desconsolo de Dona Loló Ventura e de Dona Maryjane, das mal-amadas, pois nem o Padre Cyr (esse foi visto no Gigante do Horto) nem os vereadores foram à Câmara Municipal naquela noite.

Quanto ao jogo, o Rei Pelé fez um belo gol de cabeça, mas o herói da noite acabou sendo o centroavante Tomazinho, autor dos três gols com os quais o Atlético derrotou o Santos por 3 a 1; os jornais do dia seguinte, como se tivessem combinado, publicaram a mesma manchete nas páginas de esporte:

"Quem foi ver o Rei Pelé,
viu o Príncipe Tomazinho."

Dizem que até Hilda Furacão estava no estádio, para frustração dos que, mesmo com o grande jogo daquela noite, entraram na fila no Maravilhoso Hotel para descobrir por que ela era a tentação dos homens.

17

DESVENDANDO O MISTÉRIO DA MELANCIA

Na segunda-feira, quando cheguei à redação da *Folha de Minas* para trabalhar, senti na escada um perfume de brilhantina Royal Briar e o senti também na sala de teletipos, onde o vozeirão do gordo Emecê trovejou:

— Fica calmo, menininho: o tempo está quente pro seu lado.

Perguntei o que era e o gordo disse que o advogado de Antônio Luciano (responsável por aquele perfume de brilhantina Royal Briar que senti na escada) ficou muito tempo de portas fechadas com o diretor da *Folha de Minas*, Amável Costa; e entregou a ele minha ficha de comunista no Dops e pediu minha demissão, dizendo que eu era um agente de Moscou infiltrado na campanha contra a Cidade das Camélias.

— O Felipe está lá, parlamentando com o Amável Costa — disse o gordo. — Já anunciou que se mandarem o menininho embora terão que mandá-lo também. O tempo está quente!

Logo, Felipe Drummond entrou na sala de teletipos; estava mais agitado do que sempre:

— Você já sabe o que houve. Eu disse ao Amável Costa que se te mandarem embora, por você ser comunista, terão que me mandar embora também. Ele recuou. Mas, infelizmente, você tem que entender, ele te afastou da cobertura do caso da Cidade das Camélias. Mas fica tranquilo: eu também me afastei.

Daí a pouco, fui chamado à sala de Amável Costa — com sua voz fanhosa, disse que a melancia que sua esposa amava particularmente vinha sofrendo seguidos e absurdos aumentos, e ele queria dar-me uma grande tarefa: desvendar o mistério da melancia numa série de reportagens que, ele podia garantir, haveria de me dar o prêmio Esso de reportagem, pois talento estava provado que não me faltava. Saí da sala de Amável Costa sentindo no peito toda a angústia do mundo; Felipe Drummond deu-me solidários tapas no ombro e eu voltei à sala de teletipos, onde Emecê, ao me ver tão desolado, puxou-me contra seu peito e me deu um abraço gordo e demorado; e trovejou:

— Não é nada, menininho. Um dia você vai se lembrar disso e vai até ficar alegre pelo que te fizeram.

E com o vozeirão tomado de emoção:

— Se quiser chorar, chora, menininho, que o peito dos amigos foi feito para as tempestades!

Pouco mais tarde, desci sozinho a escada da *Folha de Minas*, acendi um Continental e fui andando a pé pela Rua Curitiba em direção ao Mercado Municipal, tentando desvendar um duplo mistério: por que, na civilização ocidental e cristã, a melancia subia de preço de maneira tão desavisada, e as moças como Hilda Furacão, também de maneira desavisada, iam para a Zona Boêmia? Algum tempo depois fui contratado pelo semanário *Binômio* e deixei a *Folha de Minas*; mas, antes disso, fatos dignos de registro aconteceram, como a histórica e tumultuada votação do projeto da Cidade das Camélias, na Câmara Municipal de Belo Horizonte, e a terrível dor de dente que eu tive.

18

DE PÉ, OH VÍTIMAS DA FOME

O episódio de minha dor de dente acabou transformando-se no maior ato de bravura revolucionária de minha pobre carreira de militante, por isso merece ser contado: eu estava no Mercado Municipal entrevistando granjeiros, barraqueiros e donas de casa sobre o misterioso aumento do preço da melancia (daí a pouco chegaria o fotógrafo Demétrio Barbosa para fazer as fotos), quando meu siso começou a doer. Já era para eu ter dado um jeito nele, pois estava tratando com um excelente dentista e abnegado companheiro do Partido, o Camarada Alencastro Carvalho, que, por coincidência, essa coincidência tão comum nos folhetins e que Dostoievski usou tão bem em *Crime e castigo*, era meu conterrâneo, pertencia ao clã dos Carvalho, de Santana dos Ferros. Acontece que, tomado de entusiasmo pela cobertura da Cidade das Camélias, e com pânico da cadeira de dentista, desmarquei os horários que eu tinha com o Camarada Alencastro.

Quando, ao chegar ao Mercado Municipal, senti a primeira fisgada, no vício de quem faz análise — da qual também vinha, por sinal, descuidando —, arrisquei uma interpretação:

— Essa dor de dente é de caráter psicossomático. Estou somatizando o episódio de hoje na *Folha de Minas* e a dor que isso me causou reflete-se agora no meu siso. Vai passar logo.

Mas não passou e quando acabei de redigir a notícia sobre o aumento do preço da melancia (68% em menos de cinco dias) e a entreguei ao secretário de redação da *Folha de Minas*, Célio Horta, telefonei para o Camarada Alencastro, cujo consultório ficava na Rua Rio de Janeiro, e fui lá às pressas para ser atendido.

O Camarada Alencastro era um homem pequeno, magro, elétrico; cultivava uma cabeleira branca de maestro e tinha tiques nervosos de maestro: com seus instrumentos de dentista nas mãos, regia orquestras imaginárias. Tinha dado aos filhos nomes famosos de "heróis da classe operária": um era Marx, outro Vladimir, outro ainda era Lenin, e havia Gorki e Luís Carlos (por causa de Luís Carlos Prestes, o Cavaleiro da Esperança), e a si próprio ele homenageou, dando seu nome ao caçula do primeiro casamento — era o Alencastrinho. Enquanto atendia os clientes, como era meu caso, o Camarada

Alencastro, se não regia orquestras imaginárias, fazia comícios contra "a canalha burguesa". Naquela tarde, sendo mais exato, naquela noite, pois havia anoitecido, primeiro atacou os burgueses, depois examinou o dente.

— Coragem, companheiro — exortou então, sabendo do meu medo. — Vou ter que extrair seu siso, companheiro. Mas isso não há de assustar um revolucionário!

Aplicou anestesia — e não pegou; enquanto esperava, condenou "o cinismo do burguês" no caso da Cidade das Camélias, fazendo um pequeno comício a favor de Hilda Furacão; aplicou segunda anestesia e não pegou de todo, mas ele tinha uma solução salvadora e revolucionária para o meu caso:

— Vai doer um pouco, camarada — comunicou já com o boticão na mão. — Mas vou cantar a Internacional, para encorajá-lo...

Começou a cantar: "De pé, oh vítimas da fome", enfiou o boticão em minha boca, "de pé, famélicos da terra", pegou meu dente com o boticão, "bem unidos, marchemos, nessa luta final", começou a extrair o dente com o boticão, foi puxando e cantando, "numa terra sem amos", e deu o arrancão final — com meu dente ensanguentado preso no boticão, como se fosse a pequena bandeira vermelha de minha devoção revolucionária, regeu uma orquestra invisível executando a Internacional e, vitorioso, cantou:

"Numa terra sem amos
a In-ter-na-ci-o-nallll!!!"

Sentado na cadeira de dentista, para não urrar de dor, pensei: um dia escrevo um conto ou uma cena de romance contando o que aconteceu.

TRÊS

0

A Respeito de um Milagre

Com os acontecimentos que se anunciam, talvez fique difícil achar um lugar mais adiante para o episódio que — assim espero — há de divertir os leitores, ainda que à custa da pobre Tia Ciana, por isso, apresso-me em registrá-lo, advertindo que no desenrolar dos fatos Tia Ciana conseguirá, como direi, reabilitar-se, depois de passar algum tempo retemperando as forças e deixando de suspeitar que os cães vadios e os gatos sem teto, com os quais cruzava nas ruas de Santana dos Ferros, estavam, no fundo do coração, zombando dela.

— Nunca uma Drummond foi tão humilhada na vida — queixava-se Tia Ciana com Tia Çãozinha. — Mas uma Drummond não se entrega fácil, não. Eu, Emerenciana, Ciana para os íntimos, com dois orgulhosos e indomáveis emes no meu Drummond escocês, darei a volta por cima. Cães malandros e gatos sem o que fazer terão o troco... ou eu abro mão de minha condição de Drummond.

Dadas essas explicações, conto o que aconteceu: por aqueles dias, enquanto, em Belo Horizonte, todos aguardavam a votação do projeto da Cidade das Camélias, cujo desfecho era imprevisível, já que mesmo os maiores experts da bolsa de apostas que funcionava na Esquina dos Aflitos, junto ao Café Pérola, esperavam um resultado apertado, um voto a mais para o SIM ou para o NÃO

— enquanto isso, em Santana dos Ferros, Tia Ciana iniciava a contagem regressiva para entrar em greve de fome contra a presença do Adão nu no já famoso painel; a vigília noturna — feita de orações e oferendas aos pés da imagem de Santana, na igreja matriz — ganhava adesões e ia crescendo, fazendo com que naqueles assustados corações nascesse uma nostalgia dos tempos em que o vigário era o Padre Nelson, mão de ferro, sim, mas um santo, o que não o impediu de sair de lá caluniado por uma carta anônima enviada ao bispo de Diamantina.

É verdade que no tempo do Padre Nelson, como já se falou, tudo era proibido — carnaval, qualquer tipo de baile, decotes, vestidos justos, saias curtas mostrando os joelhos, natação, namoro depois das 8 da noite nos dias comuns e depois das 9 nos dias santos, domingos e feriados; e até a alegria foi proibida — por exemplo: a risada da Dona Nevita, bela moça que veio de Dores do Indaiá para Santana dos Ferros, casada com um jovem médico, filho da terra, o Dr. Ademar Moreira; era uma risada que, de tão alta, ecoava por toda a Santana e despertava nos que a ouviam um não sei quê, uma vontade de ser feliz, de se soltar, de ir embora em busca de melhor sorte, de fazer a trouxa e ir para longe, de não aceitar os azares da vida como boi aceita a canga ou, pior ainda, como aceita o matadouro; então — e Dona Nevita pertencia ao clã dos poderosos do lugar — o Padre Nelson lhe impôs uma penitência: que ficasse sem dar sua risada.

— Mas o que é que tem a minha risada, padre? — perguntou a Dona Nevita.

— Você ainda pergunta, minha filha? Ela desperta nos que a ouvem sonhos proibidos — sentenciou o Padre Nelson.

— Não posso fazer uma troca, padre: rezo um terço todo santo dia ajoelhada num bago de milho, mas fico livre e desimpedida para dar minha risada?

— Não, minha filha, não: sua risada está proibida até mesmo nos sonhos.

— Até nos sonhos, padre?

— É, minha filha.

— E quando vou poder voltar a dar minha risada, padre?
— Dia de São Nunca de tarde, minha filha.

Eis que, agora, vinha o Padre Geraldo Cantalice e liberava tudo, de forma lenta e gradual, é certo: liberava os bailes de carnaval, as fantasias, as festas, os decotes, os maiôs, mesmo os biquínis mais ousados e, depois de acabar com o confinamento de Alição, Alice e Alicinha, como foi contado, anistiava agora a risada da Dona Nevita, e ainda fez um pedido público de desculpas, do púlpito da nova igreja, onde Adão nu assistia a tudo; e agora Dona Nevita soltava sua risada e os homens e as mulheres ficavam pensando:

— É, posso dar um jeito na minha vida, juro que posso.

Antes, nos saudosos tempos do Padre Nelson, pensava Tia Ciana, a fila da confissão para a comunhão da primeira sexta-feira do mês tinha quase um quilômetro; o Padre Nelson exigia confissão detalhada, interrogava a todos, homens e mulheres, como um sherloque de Deus, e dava duras penitências, jejum, abstinência sexual, infindáveis ave-marias, centenas de salve-rainhas e pai-nossos. Já o Padre Geraldo Cantalice ouvia calado o relato dos pecados, nada perguntava, e distribuía penitências assim:

— Minha filha, dedique um pensamento aos pobres do mundo.

ou:

— Caríssima irmã, reze de todo coração uma ave-maria para os filhos das tempestades e das tormentas.

Ah, como essas penitências frustravam! A beata Fininha resumia a decepção geral com as absolvições sumárias do Padre Geraldo Cantalice numa frase que fez sucesso:

— Deus que me perdoe, pelo amor de Deus, mas agora perdeu até a graça de pecar.

Tia Ciana ia de casa em casa convocando todos para a vigília noturna.

— Minha querida Santana — pedia Tia Ciana, ajoelhada em dois bagos de milho debaixo de cada joelho —, dê um aviso, Santana, um sinal de que a Senhora está ao nosso lado, contra a presença obscena desse despudorado Adão nu e contra os que querem transformar a sua cidade, Santana, numa Sodoma e Gomorra, num vale de pecados.

Sempre entrando de costas na igreja para não ver o Adão nu, Tia Ciana ganhava a cada dia argumentos para levar novos adeptos à vigília noturna: nos bailes pré-carnavalescos, onde cheiravam lança-perfume à vontade havia fantasias de Adão e Eva, só com uma folha de parreira escondendo suas vergonhas; moças de vestidos justos exibiam decotes cada vez mais ousados, e o que era pior: toda noite desciam do ônibus de Zezinho da Jardineira mulheres de vestidos curtos, usando insuportáveis perfumes, que vinham de Itabira, de Guanhães, de Peçanha, até mesmo de Belo Horizonte, fazer a vida na cidade; sem esquecer que livros comunistas (estes, enviados pelo sobrinho de Tia Ciana, que, por sinal, é o narrador destas histórias de agora) entravam nas casas de família; mulheres abandonavam os maridos, maridos traídos já não lavavam a honra com sangue e mesmo o sacristão e congregado mariano Zé Didim, que antes camuflava a sua condição de homossexual, agora assumia trejeitos e ares femininos, e o que disse o Padre Geraldo Cantalice a uma comissão de Filhas de Maria que foram pedir o afastamento de Zé Didim? Disse:

— Cada qual como Deus fez!

Tia Ciana sabia em que teclas bater; jurava: ia dar a vida em holocausto, se preciso, para fazer o Adão nu bater em retirada; e ganhou um novo argumento, quando homens respeitáveis fizeram um abaixo-assinado entregue ao Padre Geraldo Cantalice pedindo a encomenda de um painel que mostrasse Eva nua.

— Trata-se, senhor vigário — dizia o documento — de uma discriminação contra Eva que queremos reparar.

Por outro lado, ainda que, em sã consciência, Tia Ciana não pudesse culpar o Padre Geraldo Cantalice nem o Adão nu, a vida de todos tinha piorado, tudo subia de preço, o arroz, o feijão, o pão, e a inflação do governo Juscelino Kubitschek andava alta, Tia Ciana sabia (nisso os udenistas, dos quais não gostava, tinham razão) que a culpa de tudo era a construção de Brasília; e ela argumentava:

— Nos saudosos tempos do Padre Nelson, quando a igreja matriz ainda era a que foi construída por nossos avós e pais, o pão nosso de cada dia não custava os olhos da cara como hoje.

E toda noite Tia Ciana, ajoelhada em dois bagos de milho em cada joelho e de costas para o Adão nu, pedia aos pés da imagem de Santana:

— Dê um sinal, Santana. Um simples sinal é o que esperamos, Santana!

Até que uma noite Santana deu um sinal: Santana chorou; quem viu a primeira lágrima foi Tia Ciana — mas preferiu esperar; quando adolescente teve visões, via Santana toda de branco, dizendo:

— Emerenciana, afaste o pecado do seu coração!

Na época, foi levada às pressas a Belo Horizonte, não era caso para o irmão, Júlio Drummond — uns diziam que era vidente, médium ou, lamentavelmente, que estava louca, e abaixavam a voz para dizer: "esquizofrênica". O Dr. Aristides, a última instância médica para todos os males dos filhos de Santana dos Ferros, sua terra, diagnosticou:

— Bobagem, isso passa com a idade. Grave é se ela estivesse dizendo que é Joana d'Arc... ou que é Napoleão!

Então, ajoelhada diante da imagem de Santana, Tia Ciana esperou — e uma segunda lágrima, logo uma terceira, desceram dos olhos de Santana; e Tia Ciana calada: seria a volta das alucinações? Seria a...? — não teve tempo de concluir o pensamento: a besta Fininha deu um berro:

— Milagre! Santana está chorando!

"Milagre! Milagre! Santana está chorando!", todos gritavam, se acotovelavam, se espremiam, avançando para molhar ainda que a ponta dos dedos nas abençoadas e miraculosas lágrimas de Santana; começou um corre-corre, os sinos da igreja repicavam chamando os fiéis — que viessem todos, os meninos saíram correndo pelas ruas, Santana estava chorando

— e agora chorava copiosamente, não eram lágrimas furtivas como as três primeiras — e aquelas mulheres e aqueles homens, em meio aos gritos de "milagre! milagre!", bebiam as lágrimas de Santana, passavam as lágrimas de Santana nas rugas, nos joelhos reumáticos, nas veias arrebentadas das pernas, nas calvícies, nas bocas desdentadas, nos peitos jovens, cujos corações sonhavam loucuras, e Tia Ciana — sempre Tia Ciana, que carregava na bolsa um copo de ágata porque tinha mania de limpeza e higiene e não aceitava água em copos alheios, nem mesmo nas casas dos irmãos — encheu o copo com as lágrimas de Santana e bebeu; era um sabor celestial, ainda que as lágrimas fossem um pouco salgadas e mornas; Tia Ciana quis obrigar seu inseparável cão Joli a beber, mas Joli cheirou e recusou a bebida; a contragosto, Tia Ciana emprestou o copo à beata Fininha que também o encheu e bebeu, e depois gritou:

— Não empurra, não, gente! As lágrimas de Santana dão para todos.

Foi então que um imprevisto aconteceu!

No meio dos choros e dos gritos, dos sinos repicando, por entre pessoas ajoelhadas e em prantos, Dona Maria Profeta veio arrastando para junto da imagem de Santana o filho de 11 anos; distribuindo empurrões e cotoveladas parou diante da imagem de Santana, encheu um cálice com as lágrimas e, puxando a orelha do filho, ordenou:

— Bebe as lágrimas de Santana para o Diabo deixar seu coração e você ser um filho de Deus.

— Pode arrancar minha orelha, mãe, que eu não bebo — disse o menino diante da perplexidade geral. — Isso não é lágrima de Santana não, mãe: é urina do sobrinho do padre que ficou trancado na sacristia um tempão e urinou lá em cima.

Tia Ciana desmaiou; coitada, a vigília noturna acabou e ela teve que adiar, sine die, sua greve de fome contra a presença do Adão nu; mas estejam certos: palavra de Tia Ciana é palavra de Drummond, não volta atrás; mesmo que lhe custe a vida, Tia Ciana há de fazer sua greve de fome. Aguardem: ainda darei notícias; enquanto isso voltemos a Belo Horizonte.

1
NAQUELES ANOS INOCENTES

Toda segunda-feira, naqueles anos inocentes, mesmo quando comecei a trabalhar no semanário *Binômio*, eu acordava mais cedo que de costume e por volta das 6 e 30 da manhã, junto com rapazes e moças de ar sonolento, alguns com uniformes de colégios e livros debaixo dos braços, entrava (um a um, para não despertar suspeitas) na casa que servia de "aparelho", onde morava o Camarada Alencastro, de quem falei ainda há pouco, no Santo Antônio, um tranquilo bairro da classe média mais tradicional; às 7 da manhã, religiosamente, no barracão dos fundos tinha início a aula de moral comunista dada por um dirigente do Partido que vivia na clandestinidade, o Camarada Zico, que mais tarde voltaria à vida legal com seu nome de batismo, e não o de guerra, e à verdadeira profissão: Carlos Olavo da Cunha Pereira, jornalista.

Ainda jovem para o cargo que ocupava — não tinha 30 anos e era membro do Comitê Regional —, o cabelo preto e curto, partido de lado, camisa esporte muito bem lavada e passada, e muito eloquente. Certas manhãs, limitava-se a fazer a leitura coletiva, em voz alta, do romance *Assim se temperou o aço*, e "amarrava" a reunião, ou seja, dava o desfecho final, no jargão que usávamos, às 8 e 15 da manhã, também religiosamente, com máximas assim:

— Não tenham dúvidas, companheiras e companheiros: o homem do mundo novo, temperado no aço, vai ser casto e se guardar para uma reunião fundada no amor e no respeito mútuo com a companheira de sua vida.

As aulas de moral comunista não estavam abertas a todos, só para os que, por sua dedicação à causa, mereciam a honraria; além da mística de um dirigente que vivia na clandestinidade, como o Camarada Zico, atrações à parte eram as três mais belas militantes da Juventude Comunista, as Companheiras Zora, Lucília e Rosa. Na época, eu namorava a Companheira Rosa, que estudava à noite no Colégio Estadual e, durante o dia, trabalhava na loja Sloper. Certa manhã, antes de começar a reunião, o Camarada Zico disse:

— Companheiro Lima (era eu) e Companheira Rosa: quando acabar a aula de hoje, tenho que transmitir aos dois companheiros uma palavra de ordem especial do Partido.

Eu e a Companheira Rosa ficamos muito curiosos; o Camarada Zico ia começar a aula de moral comunista sob o tema "O homem temperado no aço e a sexualidade", quando a Companheira Zora, com os cabelos claros caindo sobre o belo rosto que denunciava seu sangue italiano, deu um aparte surrealista:

— Uma questão de ordem, companheiros. Gostaria que o Camarada Zico, antes de começar a nos falar sobre a moral comunista, nos explicasse o que estava fazendo na tarde da última quarta-feira em plena Zona Boêmia?

Houve um silêncio mais do que constrangedor; um silêncio estupefato, inacreditável, e olhamos ora para o Camarada Zico, ora para a Companheira Zora, que aguardava uma resposta.

— Companheira Zora — o Camarada Zico sorriu. — Deve ter havido um lamentável equívoco. Se eu tivesse um irmão gêmeo, diria que era ele, como não tenho, sou obrigado a dizer: não se tratava de minha pessoa, Companheira Zora.

— Tratava-se, sim — insistiu a Companheira Zora. — Vi, com estes meus olhos. E não apenas eu: aqui está a Companheira Rosa, que estava comigo no ônibus do Horto de volta de um "comando" para colher assinaturas pela paz, e também viu o Camarada Zico na Zona Boêmia.

— A Companheira Rosa confirma a acusação? — perguntou, muito desajeitado, o Camarada Zico.

— Confirmo — respondeu a Companheira Rosa. — Era o Camarada Zico mesmo e usava a mesma camisa de hoje.

— Ora, companheiras, se era eu só podia estar ali, como em todos os lugares, a serviço do Partido — defendeu-se o Camarada Zico.

— A serviço do Partido como? — disse a Companheira Zora. — Se o Camarada Zico estava na célebre Rua Guaicurus, subindo a escada do não menos célebre Maravilhoso Hotel, onde a também não menos célebre Hilda Furacão tenta os homens? Não era mesmo, Companheira Rosa?

Trêmulo e pálido, o Camarada Zico interrompeu a reunião e saiu sem dizer a mim e à Companheira Rosa qual era a palavra de ordem do Partido que queria nos transmitir, e nunca mais tivemos aula de moral comunista.

(Alguns anos mais tarde, encontrei a Companheira Zora no Rio de Janeiro e perguntei:

— Zora, responda com toda a franqueza: por que naquela manhã, na aula de moral comunista, você levantou com tanta ênfase a questão da ida do Camarada Zico à Zona Boêmia?

— Você quer mesmo saber? — ela respondeu. — Vou te contar o que nunca contei a ninguém. Não foi por nenhuma razão ideológica nem pela moral comunista. Eu só falei aquilo porque, na época, eu estava loucamente apaixonada pelo Camarada Zico, que nunca soube disso, e fiquei morta de ciúmes de Hilda Furacão quando o vi na Rua Guaicurus subindo as escadas do Maravilhoso Hotel.)

Na tarde seguinte àquela tempestuosa manhã de segunda-feira, eu tinha um "ponto" — encontro, na gíria comunista — com o Camarada Alves que, bem mais tarde, viria a se casar com a Companheira Zora. Quando me aproximei da parte de trás do prédio onde funcionava a Secretaria de Saúde, um local insuspeito, vi o Camarada Alves andando para lá e para cá com as mãos para trás, segurando um livro e de cabeça baixa.

Quando o Camarada Alves chegava antes da hora combinada num "ponto" e, já de longe, podíamos vê-lo andando para lá e para cá, era sinal de mau tempo. Havia nuvens negras no céu e uma tempestade num copo d'água, com rajadas e trovões stalinistas, ia desabar sobre nossas cabeças. Certa vez, o Camarada Alves estava exatamente assim quando fui encontrá-lo debaixo do Viaduto de Santa Teresa, na fronteira com o Parque Municipal: dias antes, recebi dele o dinheiro para comprar a passagem de ônibus para Patos de Minas, onde me aguardava uma missão empolgante: o Camarada João Nogueira, um dos homens ricos do lugar, era dono de uma fábrica de telhas e tijolos que abastecia toda a região; decidimos então desencadear uma greve de operários em Patos de Minas e nossa estratégia consistia no seguinte: o Camarada João Nogueira deveria atrasar o pagamento de seus operários até um ponto insustentável, que os levaria à greve.

Acaso o Camarada Alves iria dizer que tudo isso não passava de uma doença infantil do comunismo? A verdade é que, quando cheguei debaixo do Viaduto de Santa Teresa, o Camarada Alves já sabia que eu, depois de comprar a passagem para Patos de Minas, usara parte do dinheiro para a viagem mandando pôr meia sola em meu sapato furado.

— Foi uma atitude pequeno-burguesa e antirrevolucionária — explodiu o Camarada Alves. — Você gastou indevidamente o dinheiro da classe operária. Agora, vai viajar para Patos com o que tiver no bolso.

E como fiquei só com uns trocados e a viagem era longa, o Camarada Alves, com seus conhecimentos de terceiranista de medicina, curso que interrompeu para entrar na clandestinidade, sugeriu, quando passou o temporal stalinista:

— O camarada compra um chocolate Diamante Negro e vai roendo aos poucos, daqui a Patos de Minas. Pelo menos, não vai desmaiar de fome.

Assim fiz e cheguei são e salvo a Patos de Minas.

E agora? Que temporal stalinista estava para desabar? O Camarada Alves não me cumprimentou; foi logo dizendo:
— Camarada Lima, quais são suas verdadeiras intenções com relação à Companheira Rosa?
— Intenções como? — gaguejei.
— O camarada quer se casar com a Companheira Rosa?
— Bem, casar não.
— Quer ficar noivo?
— Bem, ficar noivo não.
— Então quais são suas intenções?

Fiquei sem saber o que responder e o Camarada Alves fulminou:
— Pois saiba o companheiro que o Partido decidiu dar um prazo de 24 horas para que você termine tudo com a Companheira Rosa.
Lamentei muito; mas cumpri com muita pena, não tão fielmente como se verá, a resolução do Partido.
Mas é hora de ir à Câmara Municipal, onde será votado o projeto que cria a Cidade das Camélias.

2

Entre o Sim e o Não
uma Cidade Dividida

A votação ia começar às 8 da noite; às 6 da tarde chegamos — este narrador e Felipe Drummond, na condição de espectadores, pois estávamos afastados da cobertura — à esquina da Rua da Bahia com a Avenida Augusto de Lima, onde ficava a Câmara Municipal; o trânsito estava engarrafado, havia corre-corre, uma sinfonia ensurdecedora de buzinas e os partidários do SIM e do NÃO engalfinhavam-se em meio à explosão das costumeiras bombas de gás lacrimogêneo. Nas brigas, os partidários do NÃO, quase sempre estudantes de esquerda, ganharam dois respeitáveis reforços: Maria Tomba Homem e o travesti Cintura Fina, com sua navalha voadora — dos primeiros a chegar; os estudantes tinham know-how sobre bombas de gás lacrimogêneo e uma moça deu a Maria Tomba Homem um lenço para se proteger, ensinando:

— Você molha com água, guaraná ou cerveja, e respira assim, está vendo? — e pôs o lenço molhado no nariz.

Toda cidade tinha tomado partido; mesmo os tipos populares mais famosos acabaram envolvidos: a Lambreta — uma louca mansa de uma tristeza alegre que conversava com as andorinhas na chegada do verão e pedia notícias de Roma e do Santo Papa — ostentava um enorme NÃO escrito em vermelho em cima do peito e era muito festejada; já o Coreia aderiu ao SIM, e não parecia feliz com a escolha feita em troca de um par de sapatos e um terno velho. Militantes da Juventude Comunista, reforçados pelos estudantes do Movimento Nacionalista, faziam comícios relâmpagos nas imediações em cima de caixotes e nos bondes que desciam e subiam a Rua Bahia; às 7 da noite foi suspenso todo o trânsito na Rua Bahia e os bondes pararam; a Avenida Augusto de Lima foi interditada e soldados da Polícia Militar, sob vaias dos dois lados, isolaram o prédio da Câmara Municipal com uma corda e fizeram um corredor humano pelo qual iam passar vereadores e convidados. A chegada do Padre Cyr provocou aplausos e vaias, já o vereador comunista Orlando Bomfim Junior, que não era conhecido visualmente, nem tinha uma batina para identificá-lo, passou sem ser molestado ou homenageado. Às 7 e meia da noite, duas guarnições da radiopatrulha, com seis guardas-civis, entraram em conflito com Maria Tomba Homem. Foi pedido reforço. Vieram mais duas guarnições.

Ouviam-se sirenes; bombas de gás lacrimogêneo explodiam na porta da Faculdade de Direito a um quarteirão dali; quando os guardas-civis iam dominar Maria Tomba Homem, Hilda Furacão veio chegando; cessou tudo: só havia lugar para os olhares dirigidos à musa sexual.

3

O Santo, a Pecadora e a Louca

Vestia um conjunto de linho areia, conhecido pelos frequentadores das missas dançantes do Minas Tênis Clube, azul-claro era seu sapato, salto Luís XV, o que aumentava sua estatura; estava discretamente maquiada, na boca um leve batom da cor do sapato; o cabelo curto e solto; no pescoço, um colar imitava pérolas; quando veio andando, alegrando o mundo, pelo corredor humano formado pelos soldados da Polícia Militar e a brisa noturna espalhou nas imediações seu forte e adocicado perfume Muguet du Bonheur, a primeira reação — o que levou os guardas-civis a esquecerem de vez Maria Tomba Homem — foi um silêncio tão forte que o Padre Cyr apressou-se a chegar à sacada do prédio amarelo da Câmara Municipal para ver o que estava se passando e ainda brincou com seu colega Orlando Bomfim Junior:

— Será que Marx explica Hilda Furacão?

Depois do silêncio, cheio de encantamento, veio a perplexidade: Hilda Furacão era mais bonita do que falavam; então começaram os aplausos, calando as tentativas de vaias; em seguida, vieram os assovios, aquela cortina de fiu-fius que — estranho — a fez corar; quando passou por mim, no pé da escada da Câmara Municipal, ainda corada, disse visivelmente encabulada, com seu forte perfume Muguet du Bonheur, enquanto apertava meu braço:

— Cê não vai embora sem me falar, tá?

Já a chegada do Santo, que Dona Loló Ventura e, suponho, Hilda Furacão (e muito menos este narrador) não esperavam ver ali, provocou dois episódios inusitados; episódio 1: quando, usando seu hábito branco, os óculos de tartaruga, entrou no corredor humano formado pelos soldados da PM e foi identificado, sendo aplaudido pelos partidários do SIM, os adeptos do NÃO puxaram uma vaia, logo interrompida pelo protesto da temida Maria Tomba Homem.

— Santo a gente num vaia — e caiu de joelhos a seus pés, beijando a mão do Santo e manchando-a com seu batom vermelho.

Episódio 2: ao ver quem vinha chegando, a Lambreta furou o cordão de isolamento, a exemplo de Maria Tomba Homem, e com toda liberdade e intimidade, já que era sua conterrânea, fez uma grande festa para o Santo e provocou risos quando disse:

— Uai, Santo, cadê o milagre que você me prometeu, menino?

E sem deixar a mão do Santo:

— E Dona Nhanhá, Santo, tá boa?

— Está boa, Lambreta — respondeu o Santo pondo a mão em seu ombro. — E você, Lambreta, como vai?

— Como Deus e o Santo Papa mandam, mas tou esperando o milhagre que você me prometeu lá em Santana dos Ferros.

— Vai esperando, Lambreta. Vai esperando que o milagre acontece.

— O Santo Papa mandou convidar eu pra ir a Roma, Santo.

— É, Lambreta? — disse o Santo.

— Foi a andorinha Sofia, que é minha amiga e passa o verão em Roma, quem trouxe o convite.

— Parabéns, Lambreta, agora preciso ir entrando — disse o Santo.

4
Bruxa ou Feiticeira?

Deus sabe como tece suas teias.

Quando o Santo chegou lá no alto, após subir a escada em curvas da Câmara Municipal, e sentiu no ar o perfume Muguet du Bonheur só havia um lugar vago, uma cadeira vazia, como se tivesse sido guardada, ao lado de Hilda Furacão; olhou a cadeira vazia e chegou a andar, mas parou e não foi o olhar de censura de Dona Loló Ventura que o fez preferir a galeria à direita, onde não havia cadeiras e todos estavam em pé; foi o medo da dor de cabeça por causa do perfume Muguet du Bonheur de Hilda Furacão. Ela ficou impassível, sentada na primeira fila, e mordeu os lábios na hora; posteriormente confessou a este narrador:

— Tomei aquilo como uma ofensa e mordi o lábio e jurei: esse Santo me paga!

O Santo ficou de pé, exatamente onde os militantes da Juventude Comunista e do Movimento Nacionalista iam fazer uma manifestação; estavam apenas esperando o vereador Álvaro Celso da Trindade, o famoso Babaró, abrir a sessão; quando Babaró fez soar a campainha e com a voz inconfundível, que todos estavam acostumados a ouvir narrando jogos de futebol, disse "A sessão está aberta", o estudante Afonso Celso Guimarães Lopes, que nunca perdia a chance de um discurso, carregado nos ombros pelos companheiros do Movimento Nacionalista, Aureclides Ponce de Leon e Evandro Brandão, começou a falar, para espanto geral:

— Nobres vereadores: neste momento, em que o inquieto e justiceiro coração do mundo, transfere-se...

— Silêncio — pediu Babaró, trilando a campainha. — Silêncio!

— Neste momento em que o inquieto e justiceiro coração do mundo transfere-se para esta egrégia casa...

— Silêncio — insistiu Babaró e tocou a campainha com mais violência. — Silêncio ou serei obrigado a evacuar o recinto.

— Senhores vereadores — continuou Afonso Celso —, digam NÃO, não deixem o mal derrotar o bem! Abaixo a Cidade das Camélias!

— Comunista! — gritou Dona Loló Ventura. — Expulsa o comunista, Babaró!

No meio do tumulto, Babaró disse:

— A sessão está interrompida. Vou reabri-la dentro de 5 minutos. A qualquer nova manifestação, evacuo o recinto.

Naquela confusão, só o Santo e a pecadora ficaram impassíveis; o Santo observa a pecadora, a pecadora observa o Santo, e este narrador, com o coração de Tia Çãozinha batendo dentro do peito, por sua vez observa o Santo e a pecadora; quando Babaró reabriu a sessão e o projeto da Cidade das Camélias era encaminhado à votação pelo Padre Cyr e depois foi rebatido por Orlando Bomfim Junior, a pecadora fez um jogo de sedução que irritava particularmente o Santo; numa posição estratégica, ainda que só a vissem da cintura para cima, e não pudessem ver suas pernas cruzadas, a pecadora olhava insistentemente para os vereadores que estavam indecisos ou que, mesmo tendo tomado posição pelo SIM ou pelo NÃO, ainda vacilavam.

Eram uns olhos cor de fumaça, que este narrador já descreveu; vinham deles, certas horas, uma sensação de festa no mundo, dava uma vontade de cantar, de dançar, de rir um riso doido e feliz — mas vinha deles também, quando olhava como quem nos põe a culpa pelo que de ruim acontecia a ela, pelo que pudesse estar sofrendo, vinha deles a dor do mundo, um grito em silêncio pelos pobres da terra; os vereadores escolhidos pela pecadora não conseguiam libertar-se daqueles olhos; vendo o jogo que acontecia ali, o Santo anotou em sua agenda:

"Não sei se ela é uma bruxa ou uma feiticeira, o que dá na mesma. Pouco importa: ela será o meu primeiro milagre de Santo."

A um vereador indeciso, Olavo Leite Bastos, o mitológico Kafunga, ex-goleiro do Atlético durante uma eternidade, que já havia prometido a Dona Loló Ventura votar no SIM, mais do que um olhar — anotou o Santo em sua agenda — ela jogou um beijo com a mão de dedos longos e finos, a sua pecaminosa mão.

5

O Que Ela Disse no seu Ouvido

Quando Kafunga foi chamado a votar havia um empate: sete votos pelo SIM, sete pelo NÃO e já três abstenções; no silêncio que houve, a respiração de gordo de Babaró (ele era tão gordo quanto Emecê) foi ouvida por todos, e o Santo anotou em sua agenda:

"Os gordos são como os gatos: ronronam."

Fazendo suspense, Kafunga, enfim, anunciou ao microfone:
— Voto pelo NÃO, Senhor Presidente Álvaro Celso da Trindade!
Foi um delírio nas galerias e nas ruas, onde todos ouviram pelo rádio; eu não estava perto de Hilda Furacão, mas ela procurou por mim com os olhos, que agora mostravam o lado criança do mundo — acenava e gritava:
— Vem cá! Vem cá!
Eu me aproximei e ela disse:
— Cê não vai me dar um abraço?
Eu a abracei e ela falou alguma coisa no meu ouvido, um recado para o gordo Emecê; na saída, o Santo perguntou a este narrador:

— O que ela disse no seu ouvido?
Preferi fazer mistério:
— Nada de muito importante!
Mas o que Hilda Furacão falou no meu ouvido iria desencadear grandes e imprevistos acontecimentos: que Tia Çãozinha e os leitores sejam pacientes e aguardem.

6

Notícias do Sapato da Cinderela

De manhã, na casa da Rua Ceará, eu experimentava os trajes de Pirata da Perna de Pau que ia usar dentro de algumas horas na Noite de Fantasia, no Montanhês Dancing, quando o telefone da vizinha do lado me chamou; era o Santo; que eu fosse com urgência ao Convento dos Dominicanos, precisava falar comigo a sós, assunto grave e confidencial; tomei um táxi na Praça da ABC e fui — o irmão leigo, à minha espera na porta do Convento, deixou-me na porta do apartamento do Santo: ele veio ao meu encontro, apressou-se em fechar a porta e passar a chave, bateu no meu ombro e sorriu — e sorrir nele era raro, acreditava que os santos não riam.
— Tenho grandes novidades.
Acercou-se, então, do birô junto à parede da sala onde havia um embrulho verde no lugar em que eu sempre via o vidro de geleia de jabuticaba.
— Você não pode sonhar com o que está dentro deste embrulho verde — e riu um riso que estava longe de ser de alegria; nunca explodiu em gargalhadas, que eu recorde. — Vou mostrar, mas daqui a pouco — e puxou os óculos de tartaruga que insistiam em escorregar para a ponta do nariz.
— Aceita uma geleia de jabuticaba da Dona Nhanhá?

— Vai tirar meu apetite — respondi. — Vou almoçar daqui a pouco.

— Bom, então, você vai ter agora a mais cabal e definitiva prova de minha amizade — entrou na parte interna do apartamento. — Espere um pouco.

Voltou com um prato cheio dos pastéis que sua mãe, Dona Nhanhá, fazia e dos quais eu gostava muito.

— Está vendo? — foi falando e me estendeu o prato com os pastéis. — Dona Nhanhá aproveitou um portador e mandou. Só tive o trabalho de esquentar. E se eu não fosse seu amigo, mais do que isso, se não fosse seu irmão, você não teria a menor notícia destes pastéis. Eles dissolvem como hóstia na boca.

Havia seis pastéis no prato: tirou um e peguei dois de uma vez, o que o fez dizer:

— Você só tem direito a mais um. Vamos repartir os pastéis igualmente e depois você vai cair duro com o que vou mostrar.

Quando acabou de comer o segundo pastel mostrou a palma das mãos, onde havia calos:

— Você está diante de um novo herói da classe operária. Trabalhei cinco dias como operário da Mannesmann — e ainda com a palma das mãos voltada para cima: — ninguém mais pode dizer que eu não sei como vive o trabalhador brasileiro.

Referia-se evidentemente ao que Hilda Furacão disse a seu respeito na Noite do Exorcismo.

— O que está acontecendo com você, Santo? Quer dizer que o Clube da Lanterna vai perder um ilustre militante?

— Já perdeu. Ser lacerdista absolutamente não combina com a condição de orientador da JOC.

— Orientador da JOC? — estranhei. — Você diz da Juventude Operária Católica?

— Por que esse espanto todo?

— Porque você sempre foi de direita e a JOC, pelo menos, se diz de esquerda.

— Se diz, não. A JOC é de esquerda, só que onde você vê Marx, Engels, Lenin, Stalin, Kruschev... e agora Fidel Castro, a JOC vê Cristo. Pois Cristo está no coração da JOC.

— Como foi, Santo, que você da noite para o dia tornou-se de esquerda? Uma guinada de 180 graus sem mais nem menos?

— Não acabei de dizer — e ele parou para comer o último pastel de sua cota — que, a exemplo dos padres operários franceses, trabalhei como operário da Mannesmann?

— Mas os padres operários franceses não são operários só durante cinco dias. E, depois, em cinco dias trabalhando na Mannesmann você se tornou de esquerda?

Mas o Santo estava muito bem-humorado:

— Então, vai à Noite da Fantasia hoje? — perguntou.

— Uai, como é que você sabe da Noite da Fantasia?

— Sou uma pessoa bem informada... leio os jornais! Mas deixemos isso de lado. Você viu a prova da grande amizade que acabei de te dar, não é?

— Isso é verdade, devo reconhecer.

— Acredita então em minha amizade?

— Acreditarei muito mais se você for lá dentro e trouxer, pelo menos, mais quatro pastéis para nós.

— Isso é chantagem culinária! Mas tenho Cristo no coração e não me importo que você tenha Marx... e vou buscar mais seis pastéis, três para cada um.

Quando acabamos de comer os seis pastéis, chegou a hora de ver o que estava no embrulho verde sobre a mesa.

— Vem ver — ele foi abrindo. — Estou confiando a você um grave segredo de minha vida dedicada a Cristo. Você vai cair duro. Prepare-se.

Acabou de abrir o embrulho e eu vi: lá estava o pé de sapato que a Cinderela perdeu na Noite do Exorcismo.

— Você não ficou surpreso?

— Eu sabia que o sapato da Cinderela estava com você.

— Sabia? Como sabia?

— Eu vi quando ela o perdeu e você o apanhou no meio da confusão e o enfiou no bolso do hábito.

— Jura?

— Juro.
— Jura pelas barbas de Fidel Castro?
— Juro.
— E ela sabe que o sapato está comigo?
— Não — respondi.
— Você não contou nada a ela?
— Não.
— Não contou a ninguém?
— Não.
— É um segredo entre nós... e Deus então?
— É.
— Posso confiar?
— Pode.
— Obrigado.
— Não vai devolver o sapato à Cinderela?
— Não. Por enquanto, não.
— Viu a recompensa que ela oferece a quem devolver o sapato?
— Vi.
— E não ficou tentado?
— Fiquei. Mas fui para a casa de purgação e me tranquei lá.
— E o que você fez lá?
— Chicoteei meu próprio corpo.
— E resolveu?
— Um pouco.
— Você nunca beijou uma mulher, não é mesmo?
— Nunca.
— E não fica com vontade de saber como é?
— Morro de vontade. Sinto até febre.
— E o que você faz?
— Tomo uma aspirina.
— E a febre passa?
— Passa.
— Mas você vai ficar com o sapato dela para toda a vida?

— Não sei.
— O que você faz com ele?
— Eu gosto de ficar olhando para ele.
— E é bom.
— Penso nos pobres da terra.
— Pensa em quê?
— Nos pobres da terra.
— Meu Deus!
— Você disse "meu Deus!"
— Disse, mas é só uma maneira de falar.
— Olho para o sapato dela e penso nos humilhados e nos ofendidos, nos que não têm esperança e nada neste mundo. Escuta uma coisa.
— Fala.
— Você acha que ela, além de vender o corpo, vende a alma ao Diabo?
— Nem o corpo, nem a alma.
— Sinceramente?
— Sinceramente.
— Quero ajudá-la a encontrar o caminho de Deus.
— E se ela não quiser?
— Vou fazê-la querer. Ela vai ser meu primeiro milagre.
— Quero ver.
— Você duvida?
— Duvido.
— Você vai ser o primeiro a saber.
— Você... parece que você...
— Pode falar.
— Você a ama?
— O que você chama de amor?
— O que um homem sente por uma mulher e vice-versa e que é maior do que tudo e nos transforma no louco mais são da face da terra.
— Amo o Cristo.
— Só o Cristo?

— Mas meu amor pelo Cristo espalha-se por tudo: amo os pássaros, as árvores, a chuva, o sol, os bichos, e os homens e as mulheres.
— Sabe o que uma vidente disse a ela?
— Como eu poderia saber? — mentiu o Santo.
— Uma vidente disse: Hilda, para você encontrar o amor de sua vida, você vai ter que sofrer mais, muito mais do que a Gata Borralheira, porque sua madrasta vai ser a vida, e uma noite você vai perder um pé do sapato que você mais ama, e quem encontrá-lo, Hilda, vai ser o seu príncipe encantado, o único que vai poder tirá-la da vida que você estará levando.
— E você acredita nisso — explodiu.
— Acredito — respondi.
— Você é o comunista mais estranho que existe. Seu livro de cabeceira é a Bíblia e não *O capital*. Eu, que sou considerado Santo, como carne na Quaresma e você, o comunista, você não come, alimenta-se apenas de peixe e bacalhau. Até hoje você faz jejum na Sexta-feira da Paixão, enquanto eu não dispenso um bom pastel de camarão da Dona Nhanhá. Agora você vem me dizer que acredita em vidente? É por isso que o Partido Comunista não vale nada no Brasil.
— A história da vidente te irritou, hein?
— Irritou, o que você queria?
— Não falei para te irritar.
— Eu sei — estava mais calmo. — Desculpe. Quer saber da verdade?
— Fala.
— Eu já não durmo de noite.
— Hum.
— De noite fico adorando o sapato dela, sentindo o perfume dela.
— Perfume? — estranhei.
— Sim, perfume.
— E não há perigo que vejam?

— Deus vê.
— E além de Deus?
— Já contei tudo a Frei Estêvão, que é meu confessor.
— E o que ele disse?
— Disse para eu ir fundo nessa história. Para eu não reprimir nada.
— É bom isso.
— Olho o sapato dela e amo o mundo.
— É mesmo?
— É a verdade. Mas não sei onde isso vai acabar.
— Fica calmo.
— Tenho medo.
— Mas não é preciso ter medo.
— Penso nela noite e dia.
— Eu às vezes acho que ela também pensa em você.
— Ela te falou? Falou?
— Não. Mas é exatamente porque ela não fala nada. Só uma vez, de passagem, disse: "E o Santo, hein?"
— E você acha isso sintomático?
— Acho.
— O que vai ser de mim?
— O que o seu Deus quiser.
— Não será o que o Diabo quiser?
— Não.
— Por que não?
— Porque o Diabo só faz o que o seu Deus permite.
— Meu Deus, o que será de mim? Penso nela e sinto vontade de cantar. Parece que estou é na porta do paraíso. Vou precisar muito de você.
— Pode contar.
— Posso?
— Pode.
— Que tal mais uns pastéis?
— Ótima ideia, assim já nem preciso almoçar.

7
A Noite da Fantasia

Aramel, o Belo, passou na casa da Rua Ceará para irmos juntos à Noite da Fantasia, no Montanhês Dancing; estava fantasiado de Fidel Castro, com uma barba postiça, e mordia um Havana ainda apagado; tinha trocado o Karman Ghia vermelho por um Mercedes grená, de uns 10 ou 15 anos atrás, sinal de que as coisas iam bem para nosso don juan de aluguel. Ao me ver de pirata, em pé na porta do Mercedes, cantarolou:

"Eu sou
o Pirata da Perna de Pau
do olho de vidro
da cara de mau..."

E mostrando excelente humor, o que era próprio dele, acrescentou:
— Cadê o olho de vidro do pirata?
— E o boné de Fidel Castro? — retruquei.
— Fidel Castro usa boné, ô pinta?
— Claro que usa. Mas vamos logo que estamos atrasados.
Entrei na parte de trás do Mercedes com minha fantasia simulando uma perna de pau; uma Cleópatra estava no banco da frente.
— Deixe eu apresentar vocês: esta é Cleópatra, este é meu amigo de infância, Pirata da Perna de Pau.
— Gabriela M. — disse a Cleópatra virando para trás, sorrindo e estendendo a mão. — Já te conheço de cor e salteado. Aramel só fala em você e no Santo.
— Muito prazer, Gabriela M. — eu disse e apertei a mão dela.
— E o Santo? Tem visto o Santo? — perguntou Fidel Castro.
— Estive com ele hoje no Convento. Está bem.

— Eu não sei não — seguiu Fidel Castro, olhando para o banco de trás. — Tem um trem me dizendo que o Santo está numa enrascada.

— Impressão sua.

Tentou fazer o Mercedes pegar e não conseguiu.

— Pega, Mercedinho. Se saudade de Karman Ghia matasse... eu... eu... pega, filhinho, aí, pegou — e já sem olhar para trás: — onde mesmo vamos apanhar a tal operária?

— Ela não é operária. É filha de operário.

— Dá na mesma, ô pinta.

— Toca para a Renascença. Lá eu te mostro onde é.

— Manja só, Gabi: o Pirata da Perna de Pau aí é comuna, já te falei, não é? Pois uma vez ele quis me recrutar para a Juventude Comunista. Me deu para ler um livro do Jorge Amado... como é mesmo o nome do livro?

— *O mundo da paz* — eu disse.

— Pois é, me deu *O mundo da paz* para ler e queria me recrutar, logo eu, que ainda vou ser um burguês, que vou ser mais rico que o Luciano e o Matarazzo juntos.

— Ah, se Fidel Castro soubesse quem está fantasiado de Fidel Castro — provoquei.

— Ele ia morrer de inveja — riu o Fidel ao volante. — Ele não tem olhos verdes e eu tenho. Agora fala a verdade, Pirata: você está gostando dessa operária?

— Eu já disse que ela não é operária.

— Está vendo, Cleópatra? O comuna fica bravo quando a gente fala que a namorada dele é operária.

— Não enche, porra!

— Me diz uma coisa, Pirata, você resolveu uma "tarefa" — é "tarefa" mesmo que vocês falam? — para namorar essa operária?

— Você vai ver daqui a pouco se alguém precisa receber uma "tarefa" para namorá-la. Espera e para de encher!

A verdade é que eu e a Companheira Rosa, de quem já falei aqui, estávamos namorando escondido do Partido. Depois da proibição comunicada pelo Camarada Alves, uma tarde

passei na Sloper, onde ela trabalhava, para ver como estava, e a Companheira Rosa disse:
— Sabe o que pensei? A gente podia namorar escondido do Partido.
— Ótima ideia.
— Você quer?
— Quero.
— Então precisamos tomar muito cuidado. Vamos começar hoje?
— Vamos.
— Onde vamos encontrar um lugar seguro?
— Ali na Igreja de São José — a Sloper não ficava longe.
— Lá, ninguém do Partido vai nos ver.
— É mesmo.

Passamos a nos encontrar na Igreja de São José, quando ela deixava a Sloper; costumávamos ir ficando e até assistíamos à bênção ou a missa das 8 da noite, mas como não podíamos fazer mais do que ficar de mãos dadas, fiz um levantamento dos locais onde o Partido e a Juventude Comunista não usavam como "ponto" e concluí que o lugar mais seguro era a Praça da Liberdade, que estava sempre cheia de "tiras" por causa da Secretaria de Segurança e do Dops, que ficava lá perto na época — e mudamos para lá. Tínhamos que enganar não apenas o Partido, mas o pai da Companheira Rosa, um italiano muito fiel às decisões partidárias — tanto que, naquela noite, quando o Fidel Castro dirigia o Mercedes para a Renascença, a Companheira Rosa disse em casa que ia a um baile de fantasias no Forluminas, que era o clube dos funcionários e operários da Força e Luz, cujo sindicato era controlado pelo Partido (e realmente ia haver um baile de carnaval lá); Rosa estava na casa de uma amiga, a alguns quarteirões de onde morava, na Renascença, que era um bairro operário, e quando Fidel Castro parou o Mercedes diante da casa que eu indiquei, após consultar o endereço, uma Jane Mansfield deixou o alpendre e veio a nosso encontro.

— Está vendo, Fidel Castro? — provoquei. — Alguém precisa receber uma tarefa para namorar um material deste?

— Nossa mãe — fez Fidel Castro. — Agora você cresceu no meu conceito.

— Para, Aramel! — protestou Cleópatra. — Para, hein?

Jane Mansfield sentou a meu lado no Mercedes. Chegamos à Zona Boêmia e, como era impossível estacionar, Fidel Castro deixou o Mercedes na Avenida Santos Dumont e fomos a pé. A Rua Guaicurus estava tomada por uma multidão que assistia a um desfile dos blocos caricatos: Boca Negra da Floresta e As Domésticas de Lourdes, os dois mais famosos, desfilavam em cima de caminhões, como era costume; a corte imperial, formada pelo Rei Momo e as princesas do carnaval, desfilava num velho carro, já fora de uso, do Corpo de Bombeiros; chovia confetes e serpentinas e o ar estava carregado de cheiro de lança-perfume. Fidel Castro presenteou cada um de nós com um rodouro.

— Ah, se mamãe soubesse onde estou! — disse Cleópatra, pondo uma máscara no rosto.

— E se meu pai soubesse? — falou Jane Mansfield, também pondo a máscara. — Nem posso pensar no que ia fazer.

— Calma, gurias — disse Fidel Castro. — Mas vou contar, hein? É de tirar o chapéu essa Hilda Furacão! Ela é que conseguiu isso tudo.

— Para falar a verdade — disse o Pirata da Perna de Pau — em Belo Horizonte, hoje as pessoas mais poderosas são: o governador, o bispo, claro, o prefeito, nem tanto, que bebe muito, o general da ID-4, o coronel da PM e... Hilda Furacão.

— É assim mesmo? — quis saber Jane Mansfield.

— É — confirmou Fidel Castro. — E tirando o bispo, por razões óbvias, ela manda em todos os outros.

— Não sei se nos milicos ela manda, mas nos outros — concordou o Pirata — ela manda.

— Quero conhecer Hilda Furacão — disse Jane Mansfield. — Você me apresenta a ela?

— Eu também quero conhecê-la — disse Cleópatra.

— Hoje eu não sei se vai dar pé — falou o Pirata que era eu.
— Não esqueçam que é um baile de máscaras e que ninguém pode ser reconhecido.
— Que pena — fez Cleópatra. — Mas quero conhecer Hilda Furacão um dia. Juro que quero!
Entramos na fila de fantasiados que se espremia contra a parede na Rua Guaicurus para subir até a escada do Montanhês Dancing, no empurra-empurra dos foliões; era possível ver todos os personagens dos carnavais brasileiros: pierrôs, colombinas, arlequins, Nero, Napoleão Bonaparte, o Czar da Rússia, Maria Antonieta, Chiquita Bacana e, como estava em moda na época, vários Fidel Castro. A fila caminhava lentamente, apesar dos protestos de Napoleão Bonaparte, e ainda não tínhamos chegado ao pé da escada do Montanhês quando os acordes que abrem os bailes de carnaval soaram e logo a orquestra de Delê tocou a primeira música da Noite da Fantasia, interpretada pelo crooner Lagoinha:

"O teu cabelo não nega,
mulata,
porque é mulata na cor,
mas como a cor não pega,
mulata,
mulata quero o teu amor."

O salão do Montanhês Dancing, numa noite em que não seriam usados os célebres cartões de furar, estava lotado e muito bem decorado. Era impossível identificar qualquer fantasiado, muito menos Hilda Furacão; o único que não usava fantasia, apenas um boné de marinheiro e fios de serpentina enrolados descendo no peito, era o gordo Emecê, que a tudo assistia de camarote, sentado na "cadeira blindada" que teve que mandar trazer da *Folha de Minas* — foi homenageado pelo Pirata da Perna de Pau e Jane Mansfield com jatos de lança-perfume e evitado, por via das dúvidas, por Fidel Castro e Cleópatra.

8
Como se Fuera la Ultima Vez

Todos cheiravam lança-perfume à vontade e o Montanhês estava cada vez mais animado; a orquestra de Delê era imbatível para animar um baile de carnaval, entremeava velhos e novos sucessos, e agora estava lançando uma bossa-nova: além de dosar bem as marchas e os sambas, para descansar os foliões tocava um bolero, permitindo que casais tão antagônicos quanto Fidel Castro e Cleópatra, o Czar da Rússia e Marilyn Monroe dançassem de rosto colado; foi um bolero que, mais tarde, iria nos permitir descobrir atrás de que fantasia escondia-se Hilda Furacão, e não apenas isso: soubemos que tinha um namorado, não um gigolô convencional, um namorado; mas, antes do bolero, ninguém reconhecia ninguém e quando uma Carmem Miranda cheia de balangandãs caiu desmaiada no salão, ao tomar um porre de lança-perfumes, todos gritaram:

— É Hilda Furacão! É Hilda Furacão!

Pois era sabido que, uma vez, num baile de carnaval do Minas Tênis Clube, a Garota do Maiô Dourado, fantasiada de havaiana, pulava *alone* em cima de uma mesa, como gostava de fazer, parece que para tentar mais os homens, e ao cheirar lança-perfume caiu no salão, desmaiada.

— É Hilda Furacão! — por isso gritavam no Montanhês Dancing. — Ela é alérgica a lança-perfume.

— Que bom — disse Jane Mansfield. — Vou conhecê-la.

— Vamos chegar perto — gritava Fidel Castro, arrastando Cleópatra.

Mas não era Hilda Furacão; era, sim, surpresa das surpresas, o Chefe do Cerimonial do Palácio da Liberdade, conhecido por sua dubiedade sexual; tão logo Carmem Miranda foi socorrida, o Montanhês Dancing todo riu, porque a orquestra de Delê atacou um grande sucesso de Joel de Almeida, que o crooner Lagoinha cantou cheio de malícia:

"Se veste de baiana
pra fingir que é mulher
vai ver que é
vai ver que é."

Ali pela 1 da manhã, foi a vez dos sambas; e um dos mais tocados na noite:

"Se eu morrer amanhã
não levo saudade
eu fiz o que quis
na minha mocidade..."

Foi então que uma Cleópatra, não a de Fidel Castro, outra, pois havia muitas no salão, deixou Hamlet dançando com uma caveira e foi pular com um desajeitado Sheik de Agadir, a quem passou a ensinar os passos, como mais tarde contaria o gordo Emecê, que a tudo assistia de camarote; na hora, o Montanhês fervia:

"Amei e fui amado
beijei a quem bem quis
se eu morrer amanhã
de amanhã
morrerei feliz bem feliz."

Cleópatra seguia ensinando o Sheik de Agadir, com graça e paciência, e aos poucos o misterioso Sheik se soltou; mas Hamlet dançava perto, com a caveira nas mãos, e outro sucesso da noite começou a tocar:

"Amei, amei demais
depois fiquei na solidão

o nosso amor morreu
mas tenho fé na ressurreição."

Pelo que contou o gordo Emecê — que sabia quem era Cleópatra, quem era Hamlet, mas ignorava quem era o Sheik — num certo momento, o personagem de Shakespeare agarrou Cleópatra pelo braço; Cleópatra resistiu, dando um safanão, e a caveira de Hamlet caiu no salão, exatamente quando a orquestra de Delê tocou um bolero que Lagoinha cantava em espanhol:

"Besame, besame mucho
como se fuera esta noche
la ultima vez..."

9

Pugilato no Salão

Então, vários casais começaram a se beijar; por exemplo: Jane Mansfield e o Pirata da Perna de Pau; quando Hamlet, novamente de posse da caveira, ficou em pé no salão, viu a sua Cleópatra beijando a boca do Sheik de Agadir.
— E foi Cleópatra — contaria o gordo Emecê, depois de tudo — quem tomou a iniciativa.
Hamlet avançou para cima do Sheik e antes que os leões de chácara do Montanhês Dancing, que eram considerados os melhores da noite belo-horizontina, pudessem contê-lo, atingiu com um murro a face esquerda do Sheik de Agadir.
— O estranho — recordava o gordo Emecê — é que o Sheik não esboçou qualquer reação. Ao contrário: tive a nítida impressão de que ele ofereceu a outra face para o Hamlet bater.

Foi Cleópatra quem saiu em defesa do Sheik — antes mesmo que os leões de chácara contivessem Hamlet, ela o esbofeteou; a orquestra de Delê tocava *Mamãe eu quero*, como se nada estivesse acontecendo, mas, de repente, as luzes do Montanhês Dancing foram acesas, não ficou mais aquela luz de cabaré, e a orquestra parou; Hamlet tirou a máscara de Cleópatra e todos nós vimos: era Hilda Furacão; agarrado pelos leões de chácara, Hamlet teve seu verdadeiro rosto revelado: era um rapaz claro, angelical, guitarrista de um dos conjuntos de rock que começavam a ser moda; com pouco mais de 20 anos era o namorado de Hilda Furacão; na verdade, ela o protegia porque era a própria face da pureza, tinha um ar de anjo, e desde que trocou a condição de Garota do Maiô Dourado e de mito das missas dançantes do Minas Tênis Clube pela Zona Boêmia e o Maravilhoso Hotel, e passou a ser a paixão coletiva de Belo Horizonte, Hilda Furacão (e que não se perca esse dado) perseguia a pureza.

— Cadê o Sheik? — gritava, nada angelical, o Hamlet. — Cadê aquele miserável?

— Se encostar a mão nele novamente — gritou Hilda Furacão, também furiosa — você vai se arrepender para o resto da vida!

10

O Mistério do Sheik de Agadir

Mas o Sheik de Agadir desaparecera.

— Tive a impressão de que se evaporou no ar — dizia o gordo Emecê. — Como se feito de lança-perfume.

Acalmados os ânimos, Hamlet teve uma crise de choro; Hilda Furacão novamente colocou a máscara de Cleópatra e ordenou:

— Música, maestro!

Novamente luz de cabaré, a orquestra de Delê, com o crooner Lagoinha no seu melhor desempenho da noite, tocou um samba inesquecível enquanto Hilda Furacão dançava sozinha:

"Você não é
mais meu amor
porque vive a chorar
pra seu governo
já tenho outro em seu lugar."

A Noite da Fantasia foi até as 5 da manhã, quando Fidel Castro e Cleópatra, o Pirata da Perna de Pau e Jane Mansfield deixaram o Montanhês Dancing e, entrando no Mercedes grená, foram ver o sol nascer nas margens da Lagoa da Pampulha; mas algumas interrogações e mistérios acompanharam os quatro:
— Afinal, qual era a verdadeira identidade do Sheik de Agadir?
— Por que, tendo apanhado na face esquerda, estendeu a outra para Hamlet bater?
— O que o levou a não reagir, tão biblicamente?
— Qual a razão para o Sheik desaparecer na hora da confusão como se temesse ser identificado?
— Por que o Sheik não queria ser identificado?
— Quem era, afinal? Um figurão da política, algum marido que não podia ser reconhecido?
— Quem, afinal?

11

As Minhas Próprias Suspeitas

Tentei falar com o Santo dois dias depois da Noite da Fantasia, quando eu já tinha recuperado o sono perdido; fui uma vez

ao Convento dos Dominicanos e o irmão leigo disse que ele não estava; voltei uma segunda vez e ele disse:
— Frei Malthus viajou.
— Para onde, irmão?
— Rio de Janeiro.
— E o que ele foi fazer lá, irmão?
— Foi fazer um voto de pobreza.
— Voto de pobreza, irmão?
— Vai ficar sete dias e sete noites vivendo como favelado.
Percebi que o irmão leigo sabia mais coisas:
— Frei Malthus não melhorou da crise, irmão?
— Sinto dizer que não. Tem ido muito à casa da purgação e lamento dizer que Frei Malthus tem se excedido.
— Se excedido como, irmão?
— Na última noite em que esteve lá, autoflagelou-se tanto que ficou com dois hematomas no rosto.
— Dois hematomas no rosto, irmão? Explique melhor.
— Não há como explicar melhor: dois hematomas, um em cada lado do rosto.

Não comentei nada do que o irmão leigo disse com Aramel, o Belo, nem com ninguém — só agora faço essas revelações. Quando voltou do Rio de Janeiro, dez dias depois, já não vi sinais de hematomas no rosto de Frei Malthus: estava queimado de sol e não conversamos sobre a Noite da Fantasia. Falou com grande entusiasmo da experiência entre os favelados no Rio de Janeiro e de seus encontros com Dom Hélder Câmara, então bispo auxiliar do Rio de Janeiro.

— A minha Igreja, agora, continua sendo a Igreja de Cristo, mas segundo a ótica de Dom Hélder Câmara.

Seu entusiasmo cresceu quando contou que o coral Os Meninos Cantores de Deus, que fundou e do qual era maestro, ia finalmente estrear.

— Vamos fazer um pequeno concerto ao ar livre na Avenida Oiapoque que, como você sabe, fica no território da Zona Boêmia. Foi uma sugestão de Frei Malthus:

será uma homenagem às criaturas de Deus que vivem no baixo meretrício.

Ainda que a plateia não tenha sido grande, o concerto dos Meninos Cantores de Deus, com Frei Malthus como maestro, foi maravilhoso e teve apenas duas músicas; a *Ave Maria*, de Franz Schubert, cantada em alemão, abriu o concerto:

"Ave Maria! Jungfrau mild
erhöre einer Jungfrau Flehen
aus diesem Felsen starr und wild
soll mein Gebet zu dir hin wehem
Wir schlafen sicher bis zum Morgen
ob Menschen noch so grausan sind..."

Nesse ponto, Hilda Furacão tornou-se visível na Avenida Oiapoque; a segunda música foi *Panis angelicus*:

"Panis angelicus, fit panis hominum
dat panis coelicus figuris terminum..."

Então, Hilda Furacão, usando o mesmo costume areia da noite da votação do projeto da Cidade das Camélias na Câmara Municipal, subiu ao palco, estava descalça, e cantou:

"O res mirabilis manducat Dominum
pauper, pauper servus et humilis..."

E seguiu cantando com Os Meninos Cantores de Deus e Frei Malthus regendo: foi de chorar; mas Frei Malthus ficou impassível, porque, como diria no final do concerto, quando o acompanhei até o Convento dos Dominicanos, havia decidido, durante o convívio com os favelados cariocas:

— Meu lugar é na Igreja de Cristo e ao lado de Dom Hélder Câmara.

Nosso Santo conseguirá manter sua decisão?

QUATRO

1

O HOMEM MARCADO

É hora de o agente secreto Nelson Sarmento, que apareceu no início do primeiro capítulo, retornar a esta narrativa; como foi contado, deixei a *Folha de Minas* e fui trabalhar no semanário *Binômio*. No começo, quando Euro Arantes e José Maria Rabelo o fundaram, parecia uma brincadeira de estudantes: o nome foi tirado do "Binômio: energia e transporte", a plataforma política de Juscelino Kubitschek, então Governador de Minas; como tablóide humorístico, o *Binômio* fez furor: uma de suas mais famosas manchetes, na base de um trocadilho cheio de malícia, dizia:

"Juscelino vai a
Araxá e leva Rola."

Tratava-se de famoso personagem da época do jogo livre nos cassinos, Joaquim Rola, que ia dirigir a Hidrominas e acompanhou Juscelino numa viagem a Araxá. Outra razão do sucesso do *Binômio* é que, pela primeira vez, a figura controvertida e intocável do don juan e ex-banqueiro Antônio Luciano, que até o momento é o vilão de nossa história, aparecia nas páginas de um jornal. Uma charge na primeira página mostrava uma fila de moças entrando no Hotel Financial, o covil de nosso vilão; entravam de mãos vazias e, no segundo quadro, saíam com um filho nos braços. A cada piada e, mais tarde, a cada reportagem, quando se tornou um tablóide sério Antônio Luciano processava o *Binômio* e só o repórter Dídimo Paiva colecionava dezessete processos.

Nessa época, uma marcha carnavalesca do compositor Gervásio Horta, gravada por Leo Villar, ex-integrante do famoso conjunto Anjos do Inferno, fazia uma alusão evidente a Antônio Luciano e ajudava a criar a mística do repórter do *Binômio*, que eu passava também a ser:

"Você fez da sua
olhou pro céu
e não viu a luz
Estava escuro e ninguém viu
mas o repórter do Binômio descobriu
e publicou
aí você zangou."

E o refrão repetia:

"e publicou
aí você zangou."

Quando fui trabalhar no *Binômio*, dois sonhos eram responsáveis pelo fogo cruzado que agitava meu coração — um, encontrar num ponto incerto e não sabido do Brasil minha Sierra Maestra, onde seria guerrilheiro; o outro, conquistar de vez a moça que, aqui, será conhecida apenas como a bela B. e que namorava Deus e o mundo e me desprezava. Os dois projetos tiravam meu sono — virando na cama, na casa da Rua Ceará, duas fantasias alegravam minha insônia: numa delas, falando a uma multidão na Praça da Estação, local dos grandes comícios de Belo Horizonte, eu, o comandante guerrilheiro vitorioso, perguntava a Camilo Cienfuegos:

— Voy bien, Camilo?
E Camilo Cienfuegos me respondia como respondeu a Fidel:
— Vás bien, Roberto.
Na outra fantasia eu fazia a bela B. desistir do noivado para viver, não com o guerrilheiro na Sierra Maestra brasileira, mas com o repórter do *Binômio*. Por esse tempo, quando a Bossa Nova começava a fazer sucesso, eu tinha uma espécie de hino que me ajudava a ter esperanças de reconquistar a bela B.: *Chega de saudade*, de Tom e Vinícius, que João Gilberto e Os Cariocas cantavam, em gravações diferentes.

"Chega de saudade
a realidade
é que sem ela, não há paz
não há beleza
é só tristeza
melancolia que não sai de mim
não sai.
Mas, se ela voltar
que coisa linda, que coisa rara
pois haverá milhões de abraços
e beijinhos
e carinhos
sem ter fim
que é pra acabar com esse negócio
de viver longe de mim."

Volto a Sarmento: habitué, como dizíamos, dos locais preferidos pelas esquerdas, como o Café Pérola, o passeio em frente à Livraria Rex, o Bandejão debaixo do Cine Brasil, Sarmento ousou espionar no célebre Mocó da Iaiá, mas o Silveira expulsou-o:
— Aqui, não, Sarmento. Vai dando o fora — gritou apoiado por Euro Arantes, eleito deputado estadual. — O Mocó da Iaiá é um território livre na América.

Nunca mais Sarmento ousou entrar no Mocó da Iaiá, mas nos outros templos da esquerda, lá estava ele, com seu chaveiro rodando no dedo e o andar de pomba num coração de falcão. Nos congressos estudantis, Sarmento, que era galinha-verde e militava entre os águias-brancas, levava um entourage de figuras tiradas dos baús cheirando a naftalina dos integralistas e tentava influir, cada vez com menor sucesso, nas greves estudantis.

Nessa época, vivi uma cena kafkiana tendo Sarmento como personagem: eu e a Companheira Rosa continuávamos nosso namoro clandestino às escondidas do Partido e descobrimos que o mais seguro era namorar dentro dos cinemas; comprávamos ingresso, entrávamos e ficávamos lá aos beijos e abraços, minhas mãos ávidas percorrendo seus seios de Jane Mansfield; tínhamos o cuidado de evitar os filmes políticos ou de arte, tão ao gosto dos militantes do Partido. Por exemplo: o Art-Palácio estava fora de nossos planos e acreditamos que o cinema mais seguro, entre os do centro, era mesmo o Brasil, na Praça Sete, que exibia filmes mais populares, pró-EUA, que os companheiros do Partido, naturalmente, detestavam. Uma noite, quando as luzes acenderam e eu e a Companheira Rosa íamos saindo, um fantasma atravessou na nossa frente: era Sarmento; ele disse, mostrando que era mesmo um agente secreto bem informado:
— Deixa o Partido descobrir que vocês estão aos beijos e abraços no Brasil, desobedecendo à palavra de ordem da direção!

2

NOVAMENTE INVOCANDO O KAFKA

(Já tínhamos esquecido o episódio kafkiano no Brasil quando, passados alguns dias, eu e a Companheira Rosa fomos convocados para uma reunião do Partido, tão sigilosa que uma noite entramos num carro dirigido por um médico — chamarei aqui apenas de Doutor, do qual a minha hipocondria já tinha necessitado várias vezes — que nos pegou na Avenida Afonso Pena, em frente à redação do *Jornal do Povo* e ordenou:

— Agora fechem os olhos, companheiros.

Havia no banco da frente um companheiro que eu nunca tinha visto, e o Doutor começou a dar voltas intermináveis pela cidade; por fim, quando cessou o barulho típico da cidade (carros andando, buzinas etc.), o Doutor parou o carro e tivemos permissão para abrir os olhos; entramos num chalé com bananeiras na frente e ouvíamos apitos de trem ao longe, e descobrimos a razão de tanta segurança: a reunião de que eu e a Companheira Rosa íamos participar teria a "assistência", quer dizer, o comando, a liderança, na gíria do Partido, de um mito: o Camarada Rocha, o famoso Vermelhinho que inspirou o Ruivo, personagem do romance *Os subterrâneos da liberdade*, de Jorge Amado.

O Ruivo ou Vermelhinho, que se achava em Belo Horizonte antes de tudo porque o clima era excelente para seus pulmões, usava um terno de brim areia, óculos de tartaruga com lentes escuras, e quebrava palitos de fósforos, sentado na cabeceira da mesa.

O que fizemos nós, eu e a Companheira Rosa, para termos a honra de conhecer o Vermelhinho?

Já iríamos saber; a reunião foi aberta num clima tenso, o Vermelhinho ocupado com os palitos de fósforos, o Doutor muito sério, enquanto o companheiro que veio no banco da frente do carro rabiscava um papel; a Companheira Zora, de quem já falei antes, também estava presente e coube ao Companheiro Perdiz, um dos chamados "quadros operários" do Partido, abrir a reunião; eu e a Companheira Rosa éramos acusados não apenas, como disse o Companheiro Perdiz, que esmurrava a mesa, de "ferir de morte a disciplina partidária, desrespeitando uma decisão do Partido e namorando às escondidas".

— Os dois camaradas, contaminados pela moral pequeno-burguesa que insiste em violentar a moral da classe operária, foram vistos aos beijos e abraços dentro de um cinema popular frequentado pela classe operária, o Brasil.

Deu mais dois murros na mesa e continuou:

— Como se ainda fosse pouco, o Camarada Lima e a Companheira Rosa, ferindo mais uma vez a moral comunista, foram vistos fantasiados; ele, de Pirata da Perna de Pau; ela, de Jane Mansfield, no Montanhês Dancing, que é o símbolo da imoralidade burguesa, confraternizando com uma representante do que existe de pior no capitalismo, a prostituta conhecida pela alcunha de Hilda Furacão.

Mais três murros na mesa e o Camarada Perdiz explodiu:

— O Camarada Lima e a Companheira Rosa têm alguma coisa a dizer em defesa própria?

— Pera lá — protestou a Companheira Rosa. — O que vocês vão fazer conosco?

Silêncio: ao longe, um trem apitou.

— Namorávamos escondido, sim, mas em que isso faz mal à classe operária? Aumenta a mais-valia, Companheiro Perdiz? Aumenta a exploração do homem pelo homem?

Tentei chutar a perna da Companheira Rosa debaixo da mesa para ela moderar um pouco o jeito desabusado com que falava.

— Fomos ao Brasil, é verdade. Não fazíamos nenhuma pouca-vergonha, Companheiro Perdiz. Será que Lenin nunca beijou a Camarada Krupiskaia? Será?

— Companheira Rosa, sua palavra está cassada.

— Não — discordou a Companheira Zora, que na época estava noiva do Camarada Alves. — A Companheira Rosa tem o direito de falar e se defender!

Todos olharam para o Camarada Vermelhinho: ele continuava a quebrar palitos de fósforos, tendo feito já uma pequena montanha de palitos quebrados; como ele sequer olhou para nós, significava que apoiava a intervenção da Companheira Zora.

— Fomos à Noite da Fantasia no Montanhês Dancing, sim — seguiu a Companheira Rosa. — E daí, Companheiro Perdiz? Traímos alguém? Denunciamos alguém? Hein, companheiro? — E dedo em riste: — Eu e o Camarada Lima somos companheiros dedicados ao Partido e à Juventude Comunista. Não aceito as acusações.

Novamente todos olharam para o Camarada Vermelhinho: continuava aplicado à tarefa de quebrar palitos de fósforo.

— O Camarada Lima — disse o Companheiro Perdiz já sem bater na mesa — tem alguma coisa a dizer em sua defesa?

— Faço minhas as palavras da Companheira Rosa — respondi. — Ela disse tudo que eu teria para dizer.

Todos olharam para o Camarada Vermelhinho; tirou uma segunda caixa de fósforos do bolso e continuou a quebrar os palitos.

— O que proponho, companheiros — disse o Companheiro Perdiz, sem bater na mesa —, é o seguinte: em nome da moral comunista e da disciplina partidária, que os Camaradas Lima e a Companheira Rosa se casem aqui, diante da mais alta direção do Partido em Minas, pois aqui estão três membros do secretariado.

— Casar? — estranhou a Companheira Rosa. — Eu até gostaria de casar com o Camarada Lima. Mas não assim, Companheiro Perdiz. Assim, nem morta, companheiro! Nem morta!

E surpreendendo todos:

— Nem sei se o Camarada Lima me ama. Para mim, até não ama. Então, fiquem sabendo: não vai ter casamento nenhum.

— E o Camarada Lima? — falou Perdiz. — O que diz?

— Concordo com a Companheira Rosa — eu disse.

— Pois a minha proposta, então, é a seguinte: ou os Camaradas Lima e a Rosa e casam para reparar o que fizeram ou serão desligados de todas as atividades relativas ao Partido e à Juventude Comunista.

— Deixa eu meter minha colher de novo — disse a Companheira Zora. — Penso que está havendo um lamentável e enorme mal-entendido. Está bem, o Camarada Lima e a Companheira Rosa estavam namorando escondido. Mas não traíram o Partido, nem a classe operária, nem o movimento comunista.

— O que a companheira propõe, então? — perguntou já sem tanta violência o Companheiro Perdiz.

Ela olhou para os lados, para todos nós, viu o segundo monte de palitos de fósforos que o Camarada Vermelhinho fazia, e disse:

— Que fique o dito pelo não dito e que, desde que sejam leais com o Partido e a Juventude Comunista como têm sido, o Camarada Lima e a Companheira Rosa façam o que bem quiserem de suas vidas.

Todos olharam para o Camarada Vermelhinho: ele agora comparava a altura dos dois montes de palitos de fósforos; o da direita estava um pouco menor, e ele quebrou mais alguns palitos de fósforo e os igualou; então, olhou para todos nós e falou:

— Bem, camaradas, fica o dito pelo não dito!

Depois dessa noite, como já não era mais um namoro clandestino, meu relacionamento com a Companheira Rosa esfriou e voltei a pensar na bela B.)

3

Da Minha Ficha Policial

Muitos anos depois que esses fatos aconteceram, tive acesso à minha ficha policial no Dops e consegui ler o dossiê a meu respeito, elaborado a partir de informes de Nelson Sarmento; descobri por que, mal me via, durante certa fase, usando seu talento de desenhista, fazia retratos meus na agenda; estavam anexados à minha pasta no Dops — Sarmento tentava descobrir a causa de uma luz que eu tinha nos olhos e fez exatamente doze desenhos; e anotava:

"... há uma luz estranha e suspeita brilhando nos olhos dele; é um brilho febril: não fosse a abreugrafia anexa, diria que está tuberculoso; afastada a hipótese, que nos resta? É sabido que tem um grande amor; amor alucinado, verdadeira ideia fixa pela bela B., a quem o pai fazendeiro proibiu que o namorasse por causa de suas ideias comunistas; é bem verdade, conforme apurei, que também a bela B. o ama, não obstante já ter ficado noiva duas vezes e os sucessivos namorados que teve e tem (mesmo estando noiva no momento). Acaso esse brilho febril que ele tem nos olhos é por haver descoberto que a bela B. o ama? Não, ao contrário: ele tem grande dúvida a respeito e é por isso que muda tanto de namorada e está sempre procurando uma paixão (este é o seu ponto fraco, que devemos explorar). Ora, se não é o brilho de uma febre nem o brilho do amor, essa luz que ele carrega nos olhos só pode estar ligada a uma atividade política clandestina; o que o torna suspeito de pertencer ao recém-criado Movimento Fidel-Guevara, cuja missão é implantar a guerra de guerrilha no Brasil criando uma Sierra Maestra em Minas; é essa pista que este agente começa a investigar..."

Na verdade, como veremos, Sarmento fez suas investigações e soube como explorar, a serviço de sua espionagem, o meu ponto fraco por mulheres; diria que ele foi diabólico, mas aguardemos. Já em outros informes daqueles anos, Sarmento via fantasmas, como é possível observar nas anotações que fazem parte de meu dossiê e envolvem Hilda Furacão:

"... são altamente suspeitas e merecem acurada investigação suas constantes incursões ao quarto 304 do Maravilhoso Hotel, em horários adrede escolhidos, para não despertar suspeitas;

por exemplo: às 2 da tarde de toda terça-feira quase sempre a porta do 304 permanece aberta, tornando possível sentir já no corredor o perfume Muguet du Bonheur de Hilda Furacão; conforme revelações feitas por um leão de chácara, que é nosso informante, jamais o investigado e Hilda Furacão têm relações sexuais; quase sempre ficam conversando e usam um disfarce: jogam damas, que é o grande vício de Hilda Furacão desde os tempos em que era a Garota do Maiô Dourado; muitas vezes, ficam jogando dama até 4 da tarde, quando chega um dos dois coronéis que disputam Hilda Furacão (o produtor de cacau de Ilhéus e o criador de zebu do Triângulo Mineiro); é de suspeitar que o Partido Comunista fez uma autocrítica quanto ao desprezo que sempre teve pelas prostitutas, que considera integrante do lumpemproletariado, e agora quer recrutar Hilda Furacão, tê-la como simpatizante ou uma inocente útil a seu serviço; outra suspeita: Hilda Furacão é uma mulher romântica e pode estar financiando o já mencionado Movimento Fidel-Guevara, ou M.F.G.; loucura no coração é o que não falta à chamada Cinderela do baixo meretrício, caso contrário, seria hoje a esposa de um poderoso banqueiro, e não o símbolo sexual da cidade..."

Nas suspeitas sobre Hilda Furacão, Nelson Sarmento estava inteiramente enganado, como vou mostrar a seguir.

4

A Hora do Sherloque ou Investigando Hilda Furacão

Antes de revelar as circunstâncias em que fui trabalhar no *Binômio*, recordo a tarde, em seguida à Noite do Exorcismo, de que os leitores devem estar lembrados, em que entrevistei Hilda Furacão sobre o sapato de Cinderela que ela perdeu; serviu-me um refresco de groselha depois da entrevista, e conversamos sobre os acontecimentos da noite anterior; reconstituía tudo com alegria adolescente, dava pulos de contentamento; a certa hora disse:

— E o Santo, hein? — E rindo: — pobre Santo.

Mais tarde, apanhou os jornais espalhados na cama: estava feliz porque neles todos, além de aparecer muito bonita nas fotografias, com cabelo molhado, foi alvo de grande simpatia.

— Cê viu, que beleza! — E pegando uma caneta Parker 51 e o exemplar da *Folha de Minas*: — cê agora vai dar um autógrafo aqui. Faz uma dedicatória para Hilda Gualtieri, vê lá, hein, quero uma dedicatória muito bonita para guardar como lembrança.

Recordo que escrevi, a mão um tanto trêmula: "Para Hilda Gualtieri, como recordação de uma noite inesquecível em que você, como uma estrela, iluminou o que estava escuro. Na esperança de um dia escrever um romance sobre você, o abraço do amigo, Roberto Drummond".

— Lindo — ela disse, a voz mais rouca, e me deu um beijo no rosto. — Uai, então cê quer ser escritor?

— Quero — confessei.

— Pois minha vida dá um romance. Até proponho um trato com ocê.

— Qual? — perguntei.

— Cê escreveu na dedicatória que é meu amigo, né — e sem esperar resposta: — pois fico feliz, porque desde que deixei o mundo de lá e vim para a Guaicurus, perdi amigas e amigos, perdi todos. Minha maior amiga agora faz que não me vê, torce o nariz quando cruza comigo na rua. Cê sabe o quanto dói isso? Então fico muito feliz de ser sua amiga.

Bebeu um pouco do refresco de groselha.

— Proponho o seguinte — continuou. — Um dia te conto minha vida. Cê vai ver, dá um romance, e cê vai fazer sucesso como o Jorge Amado, juro. Mas tem um trato.

— Que trato, Hilda? — perguntei.
— Deixa de ser curioso, menino. Toma mais refresco de groselha. Um dia te conto tudo sobre minha vida.
— Conta por que veio para cá, Hilda? Você não precisava vir e veio.
— Conto. É uma história triste e bonita — e nesse ponto ela fez o nome do padre. — Uma história linda. Mas tem um trato, que se ocê aceitar, vai me deixar alegre e lisonjeada.
— Qual é o trato, Hilda?
— A gente ser amigo: eu, Hilda; ocê, Roberto.
— Sim... e aí?
— Para isso, eu queria ficar tranquila e certa, mas certa mesmo, que nunca, em tempo algum, ocê vai me procurar aqui como mulher, sabe como? Que nunca ocê venha aqui para isso. Com todo mundo, sim, que eu tou só cumprindo a minha penitência, até um dia que não vejo longe, mas com ocê, não, pelo amor de Deus, não. Posso confiar, Roberto?
— Pode, Hilda — eu disse.
— Então aperta aqui esta mão aqui. Amigos, né?
— Amigos.
(Perguntas que não consegui responder e me perseguiam desde que deixei o quarto 304 de Hilda Furacão e fui andando a pé da Rua Guaicurus à Rua Curitiba, onde ficava a *Folha de Minas*, com uma rápida parada no Café Palhares para tomar um cafezinho:
— Por que só uma vez, em quase duas horas de conversa, Hilda Furacão falou em Frei Malthus?
— Por que, ainda assim, referiu-se a ele como "o Santo"?
— Por que foi tão irônica ao falar "e o Santo, hein"?
— O que estava querendo dizer quando falou "pobre Santo"?
— Por que fez o nome do padre ao referir-se à história de sua vida?
— Ao falar "tou só cumprindo a minha penitência, até um dia que não vejo longe", desvendava um fio de mistério de sua vida?)

Não, não pensem que alguma vez Hilda Furacão respondeu à pergunta chave para desfazer o mistério de sua ida para a Zona Boêmia; ela desconversava com muito charme, sempre que eu queria saber a verdade:

— Qualquer dia, quando ocê menos esperar, conto tudo.

Quando fui convidado para trabalhar no *Binômio*, Euro Arantes e José Maria Rabelo levaram-me para uma sala na redação, cuja porta trancaram a chave; que ninguém nos ouvisse, mas minha primeira missão no *Binômio* ia além da missão de um repórter, através de um tema fascinante:

— Você vai ter que ser um sherloque — disse José Maria Rabelo. — Um Sherlock Holmes ou um Hercule Poirot, você escolhe, segundo sua preferência.

— E não tenha dúvida — interveio Euro Arantes, abaixando o tom de seu vozeirão. — Você vai ganhar o prêmio Esso de reportagem.

— E depois — seguiu José Maria Rabelo — você pode até escrever um romance.

— Mas, afinal, que reportagem é essa que vou fazer? — perguntei, entre tímido e curioso.

— Você vai fazer uma série de seis reportagens aqui no *Binômio* sobre Hilda Furacão — disse José Maria Rabelo. — Já tenho o título para a série: "Hilda Furacão: o mistério da Garota do Maiô Dourado".

— A chave da reportagem — falou Euro Arantes — é você acabar com o enigma de Hilda Furacão: por que, afinal, em vez de se casar com um banqueiro todo-poderoso, ela preferiu ir para a Guaicurus?

— Você vai ter que ser um sherloque — insistiu José Maria Rabelo. — É trabalho para um verdadeiro sherloque; se tivesse tempo, eu é que ia fazer essa série.

5

LAS COSAS DE FIDEL

Aconteceu que — e foi aí que realmente, pelos fatos que vocês conhecerão, minha vida mudou —, pressionado pelo Governador Bias Fortes, o dono do *Diário de Minas*, Otacílio Negrão de Lima, anunciou a Euro Arantes e José Maria Rabelo que não podia mais imprimir o *Binômio*. A solução foi passar a imprimi-lo não mais como tablóide, mas como um jornal grande, nas oficinas do *Diário de Notícias*, no Rio de Janeiro.

Era o tempo da revolução jornalística, iniciada no *Jornal do Brasil* por Odylo Costa Filho, no Rio de Janeiro. Morria, numa espécie de paredón, o nariz de cera, aquele longo bláblábla com que todas as reportagens começavam, e nascia (ainda que o *Diário Carioca* e a *Tribuna de Imprensa* já o adotassem antes) a era do lead: o que, quem, quando, como, onde e por que — as perguntas cujas respostas devíamos dar. A imprensa brasileira ganhava um mito: o copidesque do *Jornal do Brasil*, com o qual, anos depois, o teatrólogo Nelson Rodrigues iria digladiar em sua coluna no *Globo*. Todos começamos a cultuar o lead e o sublead, e Dauro Mendes, o novo secretário do *Binômio*, ia nos fins de semana ao Rio de Janeiro acompanhar a impressão do jornal nas oficinas do *Diário de Notícias*; na segunda-feira voltava fervilhando de novidades e ideias que Wilson Figueiredo, mineiro adotivo e homem forte do *Jornal do Brasil*, lhe passava.

Nesse tempo passei a dividir as pessoas em duas categorias:

1 — as que gostavam de Fidel e eram sempre boas e puras e idealistas;

2 — as que sabiam fazer o lead e o sublead.

Fora de Fidel e do lead e do sublead não havia verdade; tão radical como nós, jovens seguidores da Revolução Cubana e da revolução no jornalismo, um certo Monzeca (esse "um certo" era um de meus cacoetes mais queridos), que escrevia à mão os editoriais do tradicional *Estado de Minas*, usando uma velha caneta Parker 51, reagia aos ventos modernos, dizendo, na Rua Goiás 36:

— Essa história de lead e de sublead é coisa de comunista.

Por falar nisso, Guy de Almeida, que apoiava tanto a Revolução Cubana quanto a revolução jornalística, e era um dos nossos, tinha ido a Cuba e voltara cantando uma música que dizia:

"Si las cosas de Fidel
son cosas de comunista
que me pongan en la lista
que me pongan en la lista..."

Nesses doces tempos, Euro Arantes e José Maria Rabelo traziam do Rio de Janeiro papas do jornalismo moderno (Wilson Figueiredo, Jânio de Freitas, Araújo Netto, todos do *Jornal do Brasil*) para nos dar lições. Como esquecer Jânio de Freitas, jovem e magro, de terno e gravata, redigindo sob nossos olhares admirados (de Dauro Mendes, de Ponce de Leon e os meus) a reportagem "O crime da flor vermelha"? Como esquecer a emoção de ficar esperando chegar. *A Tribuna da Imprensa* na sua nova fase, de efêmera duração, com a crônica de futebol de Armando Nogueira? Por fim, Arantes e José Maria Rabelo acabaram por contratar para a chefia da redação um estranho personagem. Chamava-se Pedro Paulo, mas isso não quer dizer nada; estava sempre de terno cinza, camisa branca e gravata preta, o sapato também preto, a barba escanhoada, o cabelo curto e partido à esquerda (sua única concessão à ideologia dominante na redação); não me recordo de vê-lo sorrir, nem de seu nome completo. Mas aqui e agora eu o vejo elétrico e tirânico (mas quanto devo a você, Pedro Paulo?). Tinha uma religião: o lead e o sublead. Era como um feitor da redação, a quem Euro Arantes e José Maria Rabelo deram mão forte, plenos poderes.

Um dos nossos mais inocentes prazeres era descer para tomar um café ou comer um pastel no Mocó da Iaiá. Uma tarde, no entanto, o repórter Dídimo Paiva desceu para tomar um cafezinho; desceu sem despertar suspeitas; deixou o paletó pendurado na cadeira, o maço de Lincoln no bolso interno, o papel na máquina com uma frase incompleta: "O Sr. Antônio Luciano, useiro e vezeiro em abusar de incautas moçoilas..."
— e nunca mais voltou. Ali estava seu paletó, como um aviso; pois Pedro Paulo decidiu nos trancar na redação. Ninguém entrava, ninguém saía, enquanto, batendo palmas e andando para lá e para cá, ele gritava:
— Façam o lead, senhores! Façam o lead.
Só podíamos sair, os jovens repórteres de então, para ir ao banheiro ou após fazer um lead. Recordo a tarde gloriosa em que fiz meu primeiro lead. Pedro Paulo pegou, com as pontas dos dedos, a lauda onde estava minha obra-prima e saiu pelo oitavo andar do Edifício Pirapetinga, ocupado pelo *Binômio*, anunciando a boa nova:
— Roberto fez um lead! Roberto fez um lead!
(Ah, o que foi feito de você, Pedro Paulo? Como eu te odiava, Pedro Paulo, e, no entanto, agora, que ternura sinto por você, você que me ajudou tanto. A última notícia que tive sua, Pedro Paulo, dizia que você comprou um caminhão e ganhou as estradas. Era um FNM, o famoso Fenemê de curta e gloriosa existência; uma tarde, desesperado porque os negócios iam mal, você sacou um revólver 38 e disparou cinco tiros no caminhão enquanto gritava como um alucinado:
— Miserável! Traidor miserável! Você não me deu a rentabilidade esperada! Miserável!)

6

Valei-me, Hercule Poirot

Na época, o *Binômio* tinha uma tiragem de trinta mil exemplares, disputados avidamente nas bancas toda segunda-feira; o índice de leitura por exemplar era de quatro pessoas e o jornal gerava muito boca a boca, de forma que a repercussão era imensa, num leque de leitores que ia dos lacerdistas da UDN aos esquerdistas de todos os matizes. Para que vocês tenham ideia de minha responsabilidade quanto à reportagem sobre Hilda Furacão: Euro Arantes e José Maria Rabelo esperavam dobrar a tiragem do *Binômio* nas seis semanas em que ia durar a série.

— Vamos lançar um novo tipo de reportagem — dizia José Maria Rabelo, de pé, esmurrando o ar, como se já treinasse para esmurrar um general, como acabou acontecendo. — Preste atenção: não existem ingredientes tão bons para atrair o leitor como sexo, mulher-notícia bonita e mistério. Hilda Furacão reúne tudo isso.

Fizemos uma pauta com tudo que eu devia apurar, desde o nascimento, a infância, a adolescência de Hilda Furacão até o 1º de abril de 1959, quando deixou de ser a Garota do Maiô Dourado para ir para a Zona Boêmia de Belo Horizonte; e deveria, a cada reportagem, ir lançando os mistérios no ar, falando sobre as suspeitas, investigando todas elas de maneira a agarrar os leitores e deixá-los querendo ler mais e mais.

— É prêmio Esso certo — insistia Euro Arantes. — O tema é bom demais e a maneira que você vai usar para narrar é inteiramente nova na imprensa brasileira, e até mundial.

Foi então que José Maria Rabelo tirou da gaveta alguma coisa do tamanho de um isqueiro e disse:

— Esta é sua arma, Sherlock Holmes. Uma máquina fotográfica japonesa Minolta, que fotografa até no escuro. Também as fotografias para a reportagem sobre Hilda Furacão vão ter um toque de mistério.

Comecei então a trabalhar seguindo um roteiro, invocando Hercule Poirot, que eu preferia a Sherlock Holmes, tentando fazer o que o detetive de Agatha Christie faria se estivesse em meu lugar. Eu estava em apuros: sabia que minha sorte no *Binômio* e, de certa maneira, no próprio jornalismo, dependia da reportagem sobre Hilda Furacão, principalmente se eu conseguisse desfazer o mistério, responder à pergunta:

— Por que a Garota do Maiô Dourado deixou tudo para ir para a Zona Boêmia de Belo Horizonte?

Até onde eu sabia sobre Hercule Poirot, antes de iniciar as investigações, ele iria a Hilda Furacão para ter uma conversa franca; mesmo porque não estava ainda de todo afastada a possibilidade dela própria contar a verdade, como já havia prometido a este narrador; foi o que eu fiz: procurei Hilda Furacão, e ela disse:

— Te dou minha palavra de honra: no dia 1º de abril de 1964, conto pro cê toda a verdade.

— Mas não posso esperar até lá, Hilda. Minha carreira de jornalista está em jogo.

— Te deixo à vontade para investigar. Só tem um porém. Cê vai me colocar a par de tudo que investigar e apurar.

— Mas isso é censura. Você não me fala nada e ainda quer censurar o que eu vou apurar?

— Prometo não censurar nada. É só uma curiosidade feminina.

Combinamos então que toda terça-feira eu iria ao quarto 304 do Maravilhoso Hotel para dar conta de minhas investigações a Hilda Furacão. Fingíamos jogar damas enquanto ia contando tudo a ela; ela ouvia sem fazer comentários e eu tentava descobrir, por suas reações, se estava ou não no caminho certo; em geral, sua fisionomia não traía qualquer reação, a não ser quando falei de minha ida a Barbacena, onde seu pai e sua mãe foram morar levados pelo desgosto com a decisão da filha, que a eles, naturalmente, surpreendeu mais do que a toda Belo Horizonte.

Fui encontrá-los numa casa num subúrbio de Barbacena; viviam das rosas que plantavam e que eram consideradas as mais bonitas rosas que alguma vez existiram; fui levando a conversa, tal como faria Hercule Poirot, para o mistério das rosas. Como, afinal, tinham conseguido uma rosa vermelha tão bonita? Iam explicando, as vozes carregadas de sotaque, a dele de sotaque alemão, a dela de sotaque italiano; estavam à procura de uma rosa pura que todos examinassem e por mais que procurassem, nela não encontrariam impurezas.

Quando falavam sobre a rosa pura na sala da casa em Barbacena, vi na parede uma fotografia em que os dois apareciam ao lado da Garota do Maiô Dourado; a fotografia devia ter sido feita pouco tempo antes dela ir para a Zona Boêmia de Belo Horizonte.

— Valei-me, Hercule Poirot — falei comigo. — O que devo fazer agora?

Era como se a voz de Hercule Poirot respondesse num português carregado de sotaque francês:

— Levante-se e vá olhar a fotografia de perto.

7

Sobre a Pureza da Rosa

Quando levantei para olhar a fotografia, a mãe de Hilda barrou meu caminho e o nervosismo carregou seu sotaque italiano:

— Você veio aqui por causa da rosa?

— Não só — gaguejei, acreditando que Hercule Poirot estaria recriminando minha inocência. — Vim também por causa de sua filha Hilda.

— Vamos falar das rosas — disse a mãe de Hilda, quando voltei à cadeira onde estava. — Nós fracassamos com nossa

filha. Queríamos que ela fosse pura como uma rosa. Mas olhe — e a mãe de Hilda mostrou a rosa que tinha nas mãos.
— Responda: você já viu tanta pureza numa rosa?

Ao ouvir o relato dessa cena, enquanto, para todos os efeitos, jogávamos dama no quarto 304 do Maravilhoso Hotel, Hilda Furacão ficou muito emocionada; andou pelo quarto com seu andar que tanto mexia com os homens; foi de um lado para outro dizendo:

— Puta que pariu! Puta que pariu! Foi assim que ela falou? Coitada! Coitadinha!

8

Pergunte a Freud

Na terça-feira seguinte, levei para Hilda Furacão três fotografias de seus pais, que tirei usando a Minolta, sem que soubessem que estavam sendo fotografados.

— São para mim? Diga que posso ficar com elas. Diga.
— Trouxe para você, Hilda.
— Como mamãe envelheceu! Papai, nem tanto. Olha: essas rugas perto dos olhos, mamãe não tinha antes.

Continuando em minhas investigações, como sempre inspirado em Hercule Poirot, marquei uma entrevista com o poderoso banqueiro que fez tudo para se casar com a Garota do Maiô Dourado e ela recusou e alguns dias depois foi para a Zona Boêmia. Ele pediu que seu nome fosse omitido, promessa que cumpro mesmo agora, e quando perguntei por que, na sua opinião, a Garota do Maiô Dourado tinha ido para a Zona Boêmia, respondeu:

— Você não deve perguntar a mim. Pergunte a Freud.
— Por que Freud?
— Porque o que ela fez está lá no interior da alma. Quer saber? Ela não sabia conviver com a alegria. Quando estava alegre,

adoecia. Sempre foi muito mística e religiosa. Daria a ela tudo para casar comigo. Não me quisesse comprá-la, não. Daria a ela até a lua, se fosse dono da lua. Disse a ela: case comigo, que o seu presente de casamento vai ser um apartamento em Nova York.

Ao ouvir o que acabo de narrar, Hilda Furacão acendeu um cigarro e ficou andando para lá e para cá no quarto 304: fumava e nada dizia.

9

Não a Compare a uma Rosa

Imaginei que Hercule Poirot contaria ao banqueiro o episódio da rosa pura que os pais de Hilda Furacão buscavam encontrar; foi o que fiz, ele perdeu a serenidade e explodiu:

— Não a compare a uma rosa. É uma ofensa à rosa. Ela é diabólica. Quando a pedi em casamento ofereci ainda um apartamento na Avenida Atlântica com janelas para o mar, além do apartamento em Nova York. Sabe o que ela respondeu? Que me daria a resposta no dia 1º de abril de 1959.

Como os leitores sabem, no dia 1º de abril de 1959, a Garota do Maiô Dourado transformou-se em Hilda Furacão e começou a tirar o sono de nossa cidade.

10

Atrás de Novas Pistas

Os dias iam passando, Euro Arantes e José Maria Rabelo davam sinais de impaciência, eu já tinha em mãos dados muito bons sobre a vida de Hilda Furacão, mas não tinha o principal: a resposta para o mistério que intrigava a cidade mais do que saber, por exemplo, quem matou o milionário Aziz Abras, encontrado morto naqueles dias em seu palacete na Avenida Olegário Maciel. Por esse tempo, tentei duas cartadas decisivas: fui falar com o psicanalista Hélio Pellegrino e com o Padre Agnaldo, que creio ter mencionado no primeiro bloco desta narrativa; José Maria Rabelo telefonou a Hélio Pellegrino, de quem tinha sido companheiro no Partido Socialista, em Belo Horizonte, e fui ao Rio de Janeiro entrevistá-lo; era uma tarde de segunda-feira, o dia em que ninguém sabia o paradeiro de Hilda Furacão, e quando entrei na sala de Hélio Pellegrino senti no ar o cheiro do perfume Muguet du Bonheur; quase perguntei:

— Hilda Furacão esteve aqui?

Mas Hercules Poirot jamais faria essa pergunta e calei; Hélio Pellegrino foi, de início, muito amável, fez as perguntas que, para minha irritação, todos faziam: o que eu era do poeta Carlos Drummond de Andrade? Tinha algum parentesco com a Miss Minas Gerais, Glorinha Drummond, que acabava de se casar com o colunista Ibrahim Sued? Só depois confirmou: sim, a Garota do Maiô Dourado foi sua cliente, fez análise com ele em Belo Horizonte, mas nada poderia dizer a respeito, por uma questão de ética, a não ser que, tanto naquela época como agora, ele a tinha "em alta consideração"; e acrescentou:

— Absolutamente não a julgo.

Ali estavam no ar o forte cheiro do perfume Muguet du Bonheur; com meus olhos de Hercule Poirot, vi que o consultório de Hélio Pellegrino tinha duas saídas; e pensei: Hilda Furacão vem ao Rio de Janeiro fazer análise toda segunda-feira e acaba de sair daqui; perguntei:

— Hilda Furacão ainda é cliente do senhor, Dr. Hélio Pellegrino?

— Se ainda fosse minha cliente, eu não diria a quem quer que seja — e dando sinal de que a conversa tinha terminado, ficou de pé; como se fosse a melhor maneira de acabar com minha curiosidade, disse:

— Deve ser uma tarefa muito árdua ser primo do Carlos Drummond de Andrade, hein?

Respondi de maneira um tanto malcriada:

— Que nada! Difícil é ser estivador e carregar os navios que exportam café no porto de Santos.

Deixei o Dr. Hélio Pellegrino certo de que Hilda Furacão continuava sua cliente, com o que concordou José Maria Rabelo, ele, na pele de Sherlock Holmes; cabia agora investigar outra pista: o Padre Agnaldo, o confessor de Hilda Furacão nos tempos em que a Garota do Maiô Dourado fazia sucesso nas missas dançantes do Minas Tênis Clube.

11

Um Vago Perfume

Como se eu fosse Hercule Poirot e ele, José Maria Rabelo, Sherlock Holmes, fizemos um balanço sobre as pistas que poderiam nos levar à solução do mistério da Garota do Maiô Dourado: ora, àquela altura, estava afastada a possibilidade, muito divulgada na nossa cidade, de que Hilda Furacão tinha ido para o Maravilhoso Hotel por causa da falência do pai; não era verdade, o pai não tinha falido: quando ele e a mulher foram plantar rosas em Barbacena, fugindo do escândalo provocado pela ida da filha para a Zona Boêmia, apenas alugaram, como apurei, a casa que ficava na confluência do bairro de Lourdes com o Santo Antônio: poderiam vendê-la, se o restaurante de comida alemã os tivesse levado à falência; por outro lado, e creio que Tia Çãozinha e os leitores hão de concordar comigo, se a Garota do Maiô Dourado estivesse querendo resolver problemas financeiros, fatalmente teria aceitado a milionária proposta de casamento do banqueiro.

Eu já tinha entrevistado as ex-amigas, os ex-amigos, bem como alguns ex-namorados, e todos tinham a Garota do Maiô Dourado como pessoa que não se preocupava muito com dinheiro; uma ex-amiga disse:

— Ela é maquiavélica.

Outra ex-amiga perguntou:

— Mas maquiavélica com quem? Só se for com ela mesma. Porque ela é a grande sacrificada nessa história.

Estava afastada também a suspeita de um desgosto ou uma frustração amorosa; não: nossa personagem, ao que contam as ex-amigas, nunca soube o que é amar sem ser amada desde os 11 anos; e quando cresceu, não se sabe se, alguma vez, amou alguém.

— Mas ela é sádica — disse a ex-amiga número um. — Tinha gosto em fazer os homens sofrerem.

E abaixando a voz:

— Quer uma pista para explicar o que ela fez? Hilda tem uma necessidade doentia de fazer os homens se apaixonarem por ela. Sabe qual foi a reação dela quando teve notícia do primeiro suicídio por sua causa? Disse que sentia uma enorme necessidade de dançar e foi para a missa dançante do Minas Tênis Clube e não parou de dançar.

Comecei então a suspeitar que a Garota do Maiô Dourado foi para a Zona Boêmia levada pela necessidade de fazer um maior número de homens se apaixonarem por ela; como o Mal de Hilda, de que já falei aqui, contaminava a todos, ela podia regozijar-se: a cada noite, um mínimo de 25 homens (costumava receber 50) apaixonavam-se por ela. Mas Sherlock Holmes, ou seja, José Maria Rabelo, preferia trabalhar com uma hipótese que, pelo menos do ponto de vista do aumento da venda do *Binômio*, a cada segunda-feira, poderia ser melhor: que a Garota do Maiô Dourado tinha feito um pacto com Deus ou com o Diabo:

— Vamos gritar na manchete da primeira página: a penitência maldita de Hilda Furacão!

Diríamos que a Garota do Maiô Dourado deu a si mesma a penitência de ficar sofrendo na Zona Boêmia durante cinco anos. Mas... por quê? E o nosso Sherlock Holmes explicava:

— É para ser perdoada por causa dos homens que se suicidavam por causa dela. Por isso, é urgente você ir conversar com Padre Agnaldo.

Era uma tarde de quinta-feira, véspera da primeira sexta-feira do mês, quando o Padre Agnaldo recebeu-me na casa paroquial da Igreja de Santo Antônio; estava na porta, à minha espera ou como se tivesse acabado de deixar alguém ali; quando entramos, senti na sala um vago e inconfundível perfume: o Muguet du Bonheur de Hilda Furacão; o Padre Agnaldo era um homem tranquilo, um padre evoluído dos que na época eram tidos como comunistas; chamando-me de "meu filho" mandou-me sentar.

— O que eu tenho a dizer, na minha condição de pastor de almas, é que a Garota do Maiô Dourado, como todos a chamam, comungava toda primeira sexta-feira do mês e era uma excelente católica.

— E hoje, Padre Agnaldo? Ela continua a comungar toda primeira sexta-feira do mês?

Estranhamente, o Padre Agnaldo entregou-me um cinzeiro, como se quisesse ganhar tempo:

— Pode fumar à vontade, meu filho.

Insisti na pergunta e o Padre Agnaldo respondeu:

— Se ela vier aqui, será muito bem recebida por mim.

— Mesmo sendo considerada o símbolo sexual da cidade, Padre Agnaldo?

— É uma filha de Deus e como tal será tratada.

Saí de lá certo de que Hilda Furacão tinha ido se confessar com o Padre Agnaldo porque era quinta-feira, véspera da primeira sexta-feira do mês, daí o seu vago perfume no mar.

12

INTERROMPENDO AS INVESTIGAÇÕES

As investigações sobre Hilda Furacão estavam nesse pé, quando tive notícia de um fato inquietante através de um P.S. de Tia Çãozinha, na carta que relatava suas preocupações com a iminente greve de fome de Tia Ciana contra a presença do Adão nu no painel da matriz de Santana dos Ferros: a bela B. tinha, finalmente, cedido às pressões paternas e concordou em marcar o casamento; tinha negociado: ganharia uma viagem à Europa, rara naqueles tempos, em troca do sim. Decidi curar minha frustração dedicando-me, não ao jornalismo, como Dauro Mendes, secretário de redação do *Binômio* sugeriu, mas a uma maneira mais romântica e heróica de esquecer um grande amor.

13

UMA BARBA SOB SUSPEITA

Volto aos informes de Nelson Sarmento que, como disse, consegui ler muitos anos depois. Eis suas observações a respeito da barba que então deixei crescer:

"... ele deixou crescer a barba; é uma barba rala e eu diria que lamentável, se não fizesse lembrar a barba de Ernesto Che Guevara; assim, é prudente perguntar: o que está por trás dessa barba? Tratando-se de um romântico, é justo admitir que a barba possa estar ligada a um desgosto pessoal: segundo investigações que fiz junto a pessoas ligadas à bela B., ela capitulou ao desejo paterno e está de casamento marcado. Fidel Castro disse uma vez no exílio, no México, que só cortaria a barba no dia em que derrubasse Batista do governo de Cuba; disse e não cumpriu a palavra, a barba continua. Tenho forte suspeita: o investigado em questão, pode ter jurado:

— Só corto a barba quando a bela B. desmanchar o noivado.

Como o novo barbudo tem sido visto bebendo Cuba Libre no Mocó da Iaiá, numa roda de boêmios de esquerda, a hipótese ganha outra probabilidade; afinal, desde que os barbudos de Sierra Maestra entraram triunfalmente em Havana, toda barba, até prova em contrário, é suspeita; cumpre fazer as investigações..."

Deixemos Nelson Sarmento fazendo suas investigações; devo dar notícias sobre o Santo, que anda desaparecido desta narrativa.

14

Os Efeitos do Mal de Hilda

Hoje sei: toda terça-feira, quando jogava damas comigo no quarto 304 do Maravilhoso Hotel, em meio às informações que eu passava sobre as investigações, Hilda Furacão procurava, como quem pergunta por perguntar, saber notícias do Santo; fui eu quem contou a ela que Frei Malthus tinha decidido aceitar um convite para trabalhar com Dom Hélder Câmara e, para tanto, tinha que morar no Rio de Janeiro e viver entre favelados; ficou muito impressionada e disse um sintomático: "Ah, é, né?"

A esse "ah, é, né?" é possível atribuir um episódio que iria abastecer as páginas dos jornais diários; o certo é que, quando Frei Malthus anunciou a este escriba que havia aceitado o convite de Dom Hélder Câmara, revelou também por que estava disposto a ir morar numa favela carioca: julgava-se portador do Mal de Hilda.

— Fui contaminado pelo sapato dela.

Sugeri, então, que devolvesse o sapato; respondeu que não: ele o levaria para o Rio de Janeiro; isso, se os fatos por acontecer não o fizessem mudar de ideia.

Em tempo: antes que os leitores e a própria Tia Çãozinha acusem-me de contar a Hilda Furacão que Frei Malthus a amava: a esse respeito, nada disse.

15

Em Busca da Sierra Maestra

Nessa época, como foi falado, tinha sido criado em Belo Horizonte o Movimento Fidel-Guevara, já que sonhávamos com a nossa Sierra Maestra e, ao ter notícia de que a bela B. havia marcado a data do casamento, juntei meu desgosto ao sonho romântico da guerrilha inspirado pela Revolução Cubana; agora, todas as manhãs ia treinar guerrilha sob as ordens do Comandante Lorca (este o seu codinome), que havia lutado na Guerra Civil Espanhola e nos ministrava preciosos ensinamentos; éramos apenas 11 guerrilheiros, mas se, com um pouco mais, Fidel Castro conseguiu chegar a Sierra Maestra em Cuba, acreditávamos que podíamos fazer o mesmo no Brasil.

O Comandante Lorca era suficientemente alucinado para acreditar que, mesmo não havendo uma ditadura no Brasil — ao contrário, vivíamos uma sorridente democracia comandada pelo presidente eleito Juscelino Kubitschek —, poderíamos lançar um foco guerrilheiro que logo seria imitado em todo o país; ainda que brasileiro, o Comandante Lorca só falava em espanhol, língua oficial de seus ensinamentos.

Nosso treinamento acontecia nas matas do imenso sítio, uma ilha de verde para lá da Cidade Jardim, um dos mais ricos bairros de Belo Horizonte na época, onde hoje é a Vila Paris; pertencia aos pais da pintora Wilma Martins, militante da Juventude Comunista que, querendo ajudar o Movimento Fidel-Guevara, nos cedeu o sítio, de onde ouvíamos, enquanto treinávamos, o *Bolero* de Ravel tocado a toda altura no alto-falante do sanatório Morro das Pedras, debruçado sobre nós.

Mas onde seria nossa Sierra Maestra? A escolha foi feita pelo Comandante Lorca: seria a famosa Serra do Curral, que protegia Belo Horizonte, na região dos Mangabeiras, como uma fortificação natural.

— Mas Comandante Lorca — ponderou o Companheiro Ortiz —, seremos todos mortos pela aviação fiel ao governo. A Serra do Curral não tem mata e seremos massacrados.

O Comandante Lorca disse que em menos de 72 horas todo o Brasil já teria se levantado, teríamos guerrilhas rurais, guerrilhas urbanas, guerrilhas de favelados no Rio de Janeiro, pois o Movimento Fidel-Guevara tinha várias ramificações e se resistíssemos 72 horas, nosso movimento, na febril crença do Comandante Lorca, empolgaria um Brasil descontente com a miséria, a falta de esperança e o domínio do imperialismo norte-americano; o Comandante Lorca repetia sua frase preferida.

— Hay que buscar el amanecer!

16

A LAS CINCO EN PUNTO DE LA TARDE

Quanto a mim, pouco importava morrer na guerrilha; seria minha vingança contra o desprezo da bela B., quando o Comandante Lorca propôs para o próximo dia 17 de julho, a las cinco en punto de la tarde, a tomada da Serra do Curral, por nosso comando guerrilheiro, a primeira mão a levantar-se, apoiando-o, foi a minha.

Teríamos sido trucidados pelas tropas do Exército e os aviões da Aeronáutica se não tivesse acontecido na véspera um episódio que nos salvou.

17

Vocês Serão Trucidados

Na noite da véspera de 17 de julho eu estava no Mocó da Iaiá bebendo uma Cuba Libre, que poderia ser a última de minha vida, quando chegou a Companheira Tânia, a única mulher de nossa frente guerrilheira.

— Vamos sair daqui — ela disse. — Preciso falar com urgência com você.

Levei-a para a redação do *Binômio*, que ficava no oitavo andar do Edifício Pirapetinga, logo na esquina e que na hora — pouco mais de 9 da noite — estava deserta; eu tinha a chave, entramos e o que se passou foi inesquecível; é preciso dizer que a Companheira Tânia era muito bonita: tinha, se tanto, 20 anos, a pele clara, era magra e os dedos da mão direita cobertos por marcas de nicotina. Quando fechei a porta do *Binômio*, ela disse:

— Quero fazer a você uma confissão e um pedido.

Fez primeiro a confissão:

— Eu te amo.

Depois o pedido, tão ou mais surpreendente:

— Quero que você me ame.

Tirando a roupa, caiu nos meus braços e eu a amei; estávamos ainda deitados no sofá-cama que havia na redação do *Binômio*, quando ela pôs o vestido que em nada combinava com uma guerrilheira, mas a deixava muito bonita, tirou da bolsa uma passagem aérea e disse:

— Estou indo amanhã para São Paulo no primeiro voo.
— Você ficou louca? E nossa Sierra Maestra?

Ela acendeu um cigarro, soltou uma longa baforada e muito emocionada, o que a tornou mais bonita, disse:

— Loucos serão vocês se ocuparem a Serra do Curral. Vocês serão trucidados. O serviço secreto do Exército e o da Aeronáutica já sabem de tudo e tão logo vocês chegarem à Serra do Curral serão trucidados.

— Como sabe disso? — perguntei.

Ela soltou outra longa baforada:

— Sou uma espiã. Trabalho para o serviço secreto do Exército em sintonia com o Nelson Sarmento. Entrei no movimento de vocês para espionar. Mas tive azar: fiquei loucamente apaixonada por você.

Apagou o cigarro nervosamente:

— Agora tenho que ir. Avise a seus companheiros. E não me queiram mal.

Desceu sozinha no elevador automático e, na mesma hora, fui avisar os companheiros do que tinha acontecido.

18

Um Guerrilheiro Solitário

Disse ainda agora que todos fomos salvos, mas não é verdade; a las cinco en punto de la tarde, um guerrilheiro que usava uma boina e um velho uniforme da Brigada Internacional com que lutou na Guerra Civil Espanhola, tomou posição, sozinho, no alto da Serra do Curral; com uma metralhadora nas mãos, através de um megafone gritava em espanhol.

— Hay que buscar el amanecer!

Pouco depois, a Serra do Curral foi cercada por tropas do Exército e aviões de combate da Aeronáutica davam voo rasante, lá no alto, onde estava o guerrilheiro. "É um louco", diziam uns. "É um guerrilheiro", falavam outros. Recebeu à bala os soldados do Exército que subiram a Serra do Curral, e estas foram suas últimas palavras antes de um avião da Aeronáutica bombardear a serra e lançá-lo pelos ares:

— Hay que buscar el amanecer!

19

Envolvendo o Oceano Atlântico e o Nariz de Minas Gerais

Durante dois dias os jornais falaram no Comandante Lorca, mas o esqueceram na manhã do terceiro dia, quando o grande assunto, tema de todas as conversas, foi anunciado na véspera em entrevista coletiva por Hilda Furacão: fora pedida em casamento por dois coronéis fazendeiros, ambos multimilionários.

Um era o Coronel Possidônio, produtor de cacau em Ilhéus na Bahia — foi apresentado como tendo inspirado um dos coronéis do romance *Gabriela*, de Jorge Amado; para casar-se com Hilda Furacão, oferecia a ela, simplesmente, o Oceano Atlântico. Na sua rude maneira de falar, tal como prometeu em entrevista coletiva, anunciou aos repórteres (entre os quais este escriba) que ia dar a Hilda Furacão uma prenda rara para uma mulher mineira, já que Minas Gerais não tinha mar e esta era uma frustração sentida por todos:

— Vou dar a Hilda um palacete na beira da praia de Ilhéus, com janelas viradas pro mar, de modo que ela vai se sentir proprietária do Oceano Atlântico. Ela e Iemanjá.

O Coronel João Filogônio, criador de zebus em Uberaba, contra-atacou: oferecia a Hilda Furacão uma fazenda tão grande, que suas terras percorriam toda a extensão do nariz de Minas Gerais no Triângulo Mineiro.

Durante vários dias os jornais falaram na guerra dos coronéis em disputa por Hilda Furacão. As filas no Maravilhoso Hotel aumentavam. Uma tarde, um homem chegou ao 13º andar do edifício Joaquim de Paula, exibiu uma faixa em que estava escrito "I love you, Hilda Furacão", ameaçando pular. Juntou uma multidão, as rádios falavam de lá e o repórter Oswaldo Faria que, breve iria entrevistar Caryl Chesman em San Quentin pouco antes de ir para a câmara de gás, entrevistou o candidato a suicida:

— Só não pulo se Hilda Furacão vier me dar um beijo.

Eu estava na redação do *Binômio* quando soube do que estava acontecendo e fui lá ver; protegida por dois soldados do Corpo de Bombeiros, Hilda Furacão satisfez a vontade do apaixonado: beijou-o lá no alto, na janela do 13º andar, à vista de todos e debaixo de aplausos, salvando-o. O prestígio de Hilda Furacão nunca foi tão grande.

20

Três Fatos Importantes, Aliás, Quatro

Fato nº 1: eu estava na redação do *Binômio* quando Frei Malthus telefonou: tinha sido convidado para dar assistência à Juventude Operária Católica (JOC) em Belo Horizonte e, assim, desistia de ir trabalhar com Dom Hélder Câmara junto aos favelados, no Rio de Janeiro.

Fato nº 2: como, na última terça-feira, não a procurei para jogar damas no quarto 304 do Maravilhoso Hotel, Hilda

Furacão telefonou. Pediu que fosse lá com urgência. Em poucos minutos iria dar uma entrevista coletiva a respeito da disputa dos dois coronéis que queriam se casar com ela, e queria ouvir minha opinião.

Fato nº 3: ao saber que Frei Malthus não iria mais para o Rio de Janeiro, Hilda Furacão disse que entre o Oceano Atlântico e o nariz de Minas Gerais, oferecidos pelos dois coronéis, preferia ficar com o Arrudas, o pobre rio que passava nas margens da Zona Boêmia de Belo Horizonte.

Fato nº 4: Hilda Furacão disse aos repórteres na entrevista coletiva que não podia aceitar a proposta de casamento de qualquer um dos coronéis, mas agradecia de coração a ambos, e explicou que sua recusa era devido ao fato de amar outro homem.

— É um amor impossível — declarou — mas ainda assim devo ser fiel a ele.

21

Um Ultimato

Como Hilda Furacão ganhou mais fama ainda diante dos últimos acontecimentos e eu sequer iniciei a redação da primeira das seis reportagens, Euro Arantes e José Maria Rabelo deram-me um ultimato: ou descobria um assunto tão bom, ou, eles lamentavam muito, meus serviços no *Binômio* não teriam mais sentido.

22

O LOUCO E O MENDIGO

Entre os repórteres de minha geração, da qual fazia parte o futuro guerrilheiro Fernando Gabeira, por certo eu era o menos feliz com minha carreira. Havia entre nós o culto ao repórter heroico, herança deixada por José Leal, da revista *O Cruzeiro*, cuja proeza de maior sucesso foi fingir-se de louco e ser internado num hospício do Rio de Janeiro, que chamou de "sucursal do inferno".

Ainda era lembrada a façanha de José Leal quando ele teve entre nós um seguidor, que se fez internar como louco no Raul Soares, hospício muito temido e sinistro. Seu nome (como diria um lead da época): Mauro Santayana que, mais tarde, na época da invasão da Tchecoslováquia pelas tropas do Pacto de Varsóvia, iria brilhar como correspondente do *Jornal do Brasil* usando o codinome de Lauro Kubelick. Após vários dias no Raul Soares, Santayana virou herói. Um pouco enciumado, Felipe Hanriot Drummond, meu descobridor e excelente repórter, glosava:

— O drama não foi o Santayana entrar no Raul Soares. O difícil foi sair de lá. Os médicos diziam: "Este não, este aí é mais louco que os outros".

O que eu devia fazer para desbancar Santayana?

Pensava seriamente a respeito quando outro repórter do *Binômio*, Aureclydes Ponce de Leon, de quem era companheiro de agitação estudantil, deixou a barba e o cabelo crescerem, vestiu uma roupa de mendigo e, descalço e com um velho chapéu na mão, que estendia às almas caridosas, foi pedir esmola na escadaria da Igreja de São José; o resultado acabou sendo uma série de reportagens de grande sucesso publicada no *Binômio*, que iria tornar famoso seu autor e aumentar minha frustração e uma maldisfarçada inveja.

Ah, jovem e ambicioso repórter que eu era: lembro de ti, desesperado, tentando disfarçar a inveja que sentias; procuravas um tema que pusesse teu nome na boca dos leitores e, principalmente, que chamasse a atenção da bela B. Chegaste a conversar com tua analista, a quem recorrias para te fazer vencer a fobia das doenças que sentias — sofrias de várias doenças imaginárias —, acreditavas que um enfarte iria te fulminar, como aconteceu com teu pai. E à tua analista, a Dra. Aspásia Pires, pediste para te internar como louco no Hospício de Barbacena, lá, onde morreu um ídolo dos teus anos adolescentes, o grande Heleno de Freitas, centroavante do glorioso Botafogo e Regatas, a quem as bocas dos estádios chamavam de Gilda por causa do filme com Rita Hayworth e por se tratar de homem muito bonito, tipo galã de cinema.

— Está bem — disse tua analista, a Dra. Aspásia Pires. — Vou dar um jeito de te internar como louco no Hospício de Barbacena.

Mas não precisaste fingir-te de louco: a grande reportagem da tua vida te esperava, já que fracassaram tuas investigações sobre Hilda Furacão.

23

Vende-se Nordestino: Quem Quer Comprar?

Calma Tia Çãozinha, calma todos vocês leitores, calma Tia Ciana (que espero tenha chegado até esta página): convido-os a ir à casa de minha mãe, na Rua Ceará. Tenho nas mãos um exemplar do *Estado de Minas*; leio enquanto espero o almoço, quando encontro perdida em quatro ou cinco linhas uma notícia que me fez comer às pressas e sair correndo para a redação do *Binômio* com o recorte no bolso — o deputado estadual

Teófilo Pires, que era também radialista, tinha denunciado em discurso na Assembleia Legislativa o tráfico de nordestinos que vinham em caminhões paus de arara e eram vendidos como escravos em Montes Claros. Era época da construção de Brasília, tempo da euforia do governo Juscelino Kubitschek, que prometia fazer cinquenta anos em cinco. Uma marcha de carnaval da época, de Klecius Caldas e Armando Cavalcanti, cantada por João Dias, dizia:

"O pai da aviação era mineiro
nasceu com a mania de voar
por isso é que o bicho-carpinteiro
não deixa esse menino sossegar.
Ele só diz: adeus, adeus, oh Minas Gerais
Mamãe eu vou pra Goiás..."

Juscelino Kubitschek era homem alegre; nada do mineiro de parcos sorrisos à Benedito Valadares ou Milton Campos, estava sempre sorrindo, o riso era sua marca registrada. Conhecido como pé de valsa, tinha fama de conquistador e também grande realizador desde o tempo em que foi prefeito de Belo Horizonte, quando construiu a Pampulha; Carlos Lacerda e a famosa banda de música da UDN fustigavam Juscelino quase como fustigavam Getúlio. Mas Juscelino não iria dar um tiro no próprio peito.

Era difícil acreditar que, no alegre governo de Juscelino, com a capital da esperança nascendo no cerrado, como uma flor de concreto ou uma nave espacial desenhada por Niemeyer, nordestinos estivessem sendo vendidos como escravos em Montes Claros. Quando cheguei ao *Binômio* com o recorte do *Estado de Minas* na mão, José Maria Rabelo ficou entusiasmado com a ideia e, na manhã seguinte, eu e o repórter fotográfico Antônio Cocenza voamos para Montes Claros.

24

UM ATEU REZA

No momento em que eu e o fotógrafo Antonio Cocenza, naquela ensolarada manhã no aeroporto da Pampulha, caminhamos para o velho DC-3 da Panair, a sensação que tive era a de que caminhava para o pelotão de fuzilamento. Tinha pânico de avião e, quando já dentro do DC-3 eu e Cocenza apertamos os cintos e o avião começou a deslizar na pista para levantar voo, tive certeza de que ia morrer e decidi: se o avião não caísse, quando voltasse a Belo Horizonte traçaria um plano para procurar a bela B.

Mas parecia que eu não teria essa chance. Logo que ganhou altura, o DC-3 começou a jogar muito; caía no vácuo e a impressão era de que ia se espatifar no chão; tentei tomar coragem pensando na bela B. — mas quando meu Mido marcou 15 minutos de voo, o DC-3 caiu num vácuo sem fim, e quando voltou a subir, trêmulo como um pássaro cansado de voar, minhas convicções de comunista ateu desabaram 5 mil metros e comecei a rezar.

(Que Tia Ciana me perdoe, mas quando entrei para a Juventude Comunista senti um profundo alívio; ora, sendo militante comunista com carteira assinada e tudo, não precisava mais rezar toda noite antes de dormir; principalmente, não precisava pagar a dívida em orações e missas que eu tinha com meus santos de devoção e com as almas do outro mundo; num velho exemplar de *Judeus sem dinheiro*, de Michael Gold, um de meus livros de cabeceira na época, que guardo comigo ainda hoje, está anotada minha dívida, que a seguir transcrevo:

— quatro missas, para as almas do purgatório em agradecimento por ter sido aprovado em matemática no Colégio Arnaldo, sem jamais ter dado sequer um Havana ao Prof. Kindle, como faziam os outros alunos;

— 336 padre-nossos, 457 ave-marias, 300 salve-rainhas por ter sido aprovado em religião no Colégio Arnaldo com o Padre Kill que, ao pegar-me em flagrante lendo *O cavaleiro da esperança*, de Jorge Amado, devidamente camuflado e disfarçado com a capa do livro de geografia, de Moisés Gikovate, tomou-me o livro e, depois de anunciar "temos um vermelho na sala", prometeu denunciar-me não só ao padre diretor, que era o Padre Coqueirão, como também ao Dops;

— três terços e 275 salve-rainhas em louvor a Santa Rita de Cássia, a padroeira dos impossíveis, em agradecimento por ter a bela B. desmanchado o noivado três meses antes do casamento, tão ao gosto do pai;

— cinco missas e cinco terços pela canonização do Padre Eustáquio por ter sido aprovado no primeiro científico no Colégio Arnaldo, de onde fui expulso como indesejável após a denúncia do Padre Kill sobre *O cavaleiro da esperança* que, por sinal, foi queimado no pátio do colégio, em nome da democracia.)

25

Era um Curral, mas não Tinha Gado: Tinha Gente

Quando o avião parou de jogar e terminei as orações, revelei meu plano a Cocenza: não apenas ia ouvir testemunhas confirmando a venda de nordestinos como escravos, como também eu próprio ia comprar um, trazê-lo comigo de volta a Belo Horizonte, e Cocenza ia documentar tudo com sua brava e heróica Rolleyflex; mas não podia imaginar que a realidade fosse superar meu sonho, como mais tarde aconteceu.

Em Montes Claros, na época uma cidade empoeirada com belas moças cujos olhos não fugiam envergonhados dos nossos, como acontecia até mesmo em Belo Horizonte, todos negavam a existência do tráfico de nordestinos; mesmo o prefeito Simeão Pires, irmão do deputado Teófilo Pires, autor da denúncia, negava tudo. Que os caminhões de paus de arara passavam por Montes Claros carregados de retirantes nordestinos, ninguém negava, era público e notório, mas a venda dos nordestinos como escravos, não, não era verdade. Decidimos então, eu e Cocenza, aguardar o dia seguinte e esperar que passasse um pau de arara.

Vivemos uma estranha e inacreditável noite em Montes Claros: eu, nos braços de uma mulher que ardia em febre, na Zona Boêmia, Cocenza insone no quarto do hotel, um chinelo na mão, a amarelada e fraca lâmpada acesa, às voltas com as baratas que ele, homem da cidade grande, confundia com os temíveis barbeiros, transmissores da doença de Chagas. De manhã cedo, na Zona Boêmia, fui acordado por alguém batendo na porta do quarto em que eu dormia ao lado da prostituta ainda febril: abri e dei com Antônio Cocenza. Fomos ao hotel, tomamos um café rápido, pagamos a conta e num jipe com motorista que tínhamos alugado chegamos à periferia de Montes Claros e ficamos à espera do primeiro pau de arara carregado de nordestinos.

Era uma bela e inocente manhã, como a mostrar que o tempo pode ser cúmplice dos piores crimes; enquanto esperávamos a chegada do pau de arara, o sol e o céu azul pareciam desmentir, por antecipação, o que daí a pouco ia acontecer; o que na verdade começou a acontecer quando um caminhão Ford, placa da Paraíba, passou por nós lotado de nordestinos. Nós o seguimos no jipe e, na saída de Montes Claros para Pirapora, num curral abandonado, o Ford parou. Os retirantes, homens e mulheres e pelo menos um velho e um menino, começaram a descer da carroceria do caminhão: sujos de poeira, lembravam espantalhos, eles que até então estavam protegidos do sol, do vento, quem sabe até mesmo do frio e dos olhos indiscretos, por um toldo de lona. Nos aproximamos do dono do caminhão e daquelas existências, um homem magro, o bigode fino, o cabelo curto, a barba por fazer há vários dias, um palito na boca, feições de nordestino. Era Seu Juca, um paraibano, e o abordei tendo Cocenza ao lado com sua Rolleyflex estudada e displicentemente pendurada, caindo sobre o peito; eu disse que estava interessado em um nordestino para trabalhar na lavoura de café de meu pai no Vale do Rio Doce, em Minas.

— Leva mais de um, seu moço — disse Seu Juca, com o sotaque cantado da Paraíba. — Faço uma boa diferença no preço.

— Quanto custa um, Seu Juca? — perguntei.

— Mil e quinhentos. Mas se seu moço levar dois, posso fazer um abatimento.

— De quanto?

— Os dois por dois e quinhentos.

— É o mesmo preço o homem e a mulher?

— Tem muié macho aí, seu moço, enfrenta o batente com mais valentia que os home.

Fui para perto dos paus de arara, dentro da estratégia que, não sei se já disse, havíamos combinado, pois não bastava Cocenza disparar a Rolleyflex sem que Seu Juca percebesse que estava sendo fotografado, era preciso ter um documento, alguma prova que atestasse a veracidade da transação. Assim, enquanto me afastava, Cocenza ficou ao lado de Seu Juca e contou, como quem faz uma confidência, que eu era um filhinho de papai, gastador e farrista, por isso "meu pai" não confiava em mim e ele, Cocenza, estava ali como um fiscal, a mando de meu pai, e ia precisar de um documento, um recibo da compra. Seu Juca concordou prontamente e, ao sinal de Cocenza, eu disse a Seu Juca que queria examinar os nordestinos dispersos como gado no curral abandonado. Seu Juca os colocou em fila e comecei a examiná-los. A fotografia que Cocenza disparou na hora fez furor: mostrava-me, com uma calça preta e um paletó de linho branco, examinando os nordestinos em fila, a cerca do curral ao fundo — eu examinava suas mãos, pedia que movimentassem os dedos para ver se realmente podiam pegar na enxada, que abrissem a boca, mostrassem os dentes. Então, tive a intuição: para que a reportagem fizesse mais furor ainda eu ia comprar um casal de nordestinos, um homem e uma mulher. Disse a Seu Juca:

— Quero levar um casal.

Só havia um casal, marido e mulher: Mulher, sertanejo típico, cuja mão direita tinha um dedo avariado que ele tentava esconder, e sua mulher Francisca, bem mais nova do que ele, frágil, mulata; não chegava a ser uma Gabriela, mas era mulher cheia de dengos e encantos. Comecei então a negociar com Seu Juca: ele queria 5 mil pelo casal, eu, realmente, não tinha esse dinheiro, o *Binômio* só havia me dado 4 mil, pois eu ia comprar apenas um nordestino. Propus pagar 4 mil pelo casal, argumentando que o sertanejo Manuel tinha um problema no dedo da mão direita; Seu Juca concordou e, afastando-se comigo e piscando os olhos, sempre com o palito na boca, disse que os dois iam trabalhar para mim para todo o sempre, que seriam meus.

— Paga quatro mil e quinhentos — contrapropôs Seu Juca.

— Quatro mil — insisti.

— Negócio fechado, seu moço — concordou.

Manuel e Francisca, o casal de nordestinos comprados, estavam exultantes e Seu Juca mandou que juntassem seus pertences deixados na carroceria do pau de arara. Fiz o pagamento e Cocenza fotografou o momento em que eu entregava o dinheiro. Em seguida, Seu Juca fez o recibo e entregou a Cocenza para que fosse exibido a meu pai, e que o *Binômio* iria publicar em fac-símile com grande destaque.

Como esquecer aqueles momentos no curral na periferia de Montes Claros? Como esquecer os olhos de 45 retirantes, homens e mulheres, olhos de cães famintos, implorando que eu os comprasse também? Quando Manuel e Francisca voltaram com suas trouxas, que eram tudo que tinham na vida, um velho deixou o grupo de retirantes dispersos no curral e veio andando na minha direção; ainda agora, tantos anos depois, eu o vejo: era magro e alto, seco, barbas encardidas, cabelos desgrenhados, usava uma roupa rota e uma velha alpargata, e andava apoiado num cajado; dentro dos olhos de um verde-escuro, brilhava uma luz, e ele trazia ali toda a alucinação do mundo. Lembrava um espantalho. Mas ainda lembrava Antônio Conselheiro, o líder místico de Canudos. A um metro de distância de mim, estendeu o cajado numa reverência e disse:

— Louvado seja Nosso Senhor Jesus Cristo!
— Para sempre seja louvado — respondi.
— Minha pessoa veio à terra a mando de Deus para mode sabê o que se passa nos coração dos home.

Seu Juca não perdeu tempo:
— No profeta, seu moço, eu posso fazer um preço bom — e diante do meu silêncio —, paga só 500 cruzeiros por ele. É um negócio da China, seu moço.
— Mas o que vou fazer com um profeta, Seu Juca, numa fazenda de café? — perguntei, como se não fosse jornalista disfarçado, e sim realmente um fazendeiro.

Ao que o profeta disse:
— Posso encomendá a alma de vosmecê — e ergueu o cajado — porque o fim do mundo vem vindo e quem não tivé a alma limpa e protegida vai queimá nos quinto do inferno.

Diante do meu espanto, continuou:
— Minha pessoa pode prevê o dia de amanhã pra vosmecê. Posso anunciá: com o sangue do teu sangue tu será traído.

Seu Juca aparteou:
— Leva o profeta por 250 cruzeiros, seu moço.

Antes que eu falasse, o profeta prosseguiu no mesmo tom:
— Minha pessoa pode anunciá pra vosmecê carece de tê cuidado com o Brasil.

Cocenza puxou-me pelo braço: tínhamos que ir embora o mais depressa; então, um menino de uns 14 anos, cor de

chocolate, olhos indígenas e cabelo negro, curto e liso, caiu de joelhos a meus pés abraçando minhas pernas:
— Leva eu, seu moço. Pelo amor de Deus, leva eu.
Eu não podia trazê-lo comigo, garoto nordestino, nem você, nem o profeta; e o profeta dizia:
— O fim do mundo vem vindo!
Saímos dali com a euforia e a consciência de que tínhamos conseguido uma reportagem de repercussão internacional. Mas havia um problema para resolver: nosso dinheiro tinha acabado. Como comprar as passagens de avião para Manuel e Francisca? Conseguimos o dinheiro emprestado com Edgard, irmão do jornalista Cipião Martins Pereira, um de nossos mestres no *Binômio*. Nossa proeza era agora do conhecimento da cidade — quando o DC-3 taxiou na pista, uma caravana de carros liderada pelo, mais tarde viemos a saber, prefeito Simeão Pires, chegava ao aeroporto para nos tomar o casal de nordestino e impedir assim que o bom nome do lugar fosse manchado. Foi um alívio quando o DC-3 levantou voo. Quando o avião enfrentava as turbulências e caía nos vácuos, Manuel e Francisca invocavam a proteção do Padre Cícero Romão Batista.

De fato a reportagem que o *Binômio* publicou com grande destaque na segunda-feira seguinte teve a repercussão não apenas nacional, mas internacional — a revista *Time* falou a respeito publicando minha fotografia ao lado de Manuel e Francisca. O casal começou a viver um conto de fadas: levados por mim e por Cocenza ao Rio de Janeiro para uma entrevista no famoso programa de Murilo Nery, na TV Tupi, foram os heróis de uma noite. O programa durava 4 horas, entramos no ar às 8 e Murilo Nery, depois de relatar tudo e nos entrevistar, pediu que os telespectadores doassem o que pudessem a Manuel e Francisca, e não paravam de chegar roupas, calçados, bijuterias, relógios e mesmo vestidos elegantes, colares, brincos.

26

A GENTE NÃO COME LIBERDADE

Eu era um repórter de sucesso. De muito sucesso. Minha vida de jornalista tinha mudado e a de Manuel e Francisca também.

Eles, que não tinham o que comer, agora tinham; que não tinham o que vestir, agora tinham; e tinham violões, relógios, colares, sanfonas, acordeões, rádios transistores, que ganharam no Rio de Janeiro; ganharam tantas coisas que foi preciso recorrer a um avião de carga da Panair do Brasil. E estavam livres. Como não tinham para onde ir e não queriam voltar para a Paraíba, eu os encaminhei à fazenda de meu primo Oswaldo Drummond, em Santana dos Ferros. Mas eles, que chegaram lá como heróis, não queriam saber da vida de plantar ou colher café. Deram-se muito mal, Manuel só queria tocar violão e Francisca, com seus belos vestidos, enfeitiçava os homens. Quando, enfim, deixaram a fazenda e apareceram na casa da Rua Ceará, seus únicos pertences eram o violão de Manuel e o vestido azul com bolas brancas de Francisca. Tinham vendido tudo e estavam mais infelizes do que quando deixaram a Paraíba. Perguntei se queriam voltar. Disseram que não. Queriam ir para São Paulo? Não. Manuel disse:

— Somos seus, Roberto.

Expliquei que eram livres. Mas Manuel, apoiado por Francisca, disse que não queria ser livre; falei com os dois sobre a liberdade, e Manuel disse:

— A gente não come liberdade.

Dei-lhes algum dinheiro, foram embora, mas sempre voltavam e diziam que eram meus, que eu os havia comprado, com recibo e tudo, estavam dispostos a seguir minhas ordens. Até que não tive mais notícias deles.

27

Sarmento Rides Again

Era a glória: além de toda a repercussão nacional, ver a compra do casal de nordestino nas páginas da revista *Time*, com a minha fotografia ao lado de Manuel e Francisca, superava o que os repórteres de minha geração, em todo o Brasil, tinham feito. Consegui um aumento de salário no *Binômio*, no embalo do sucesso, e o telefone da redação chamava-me muitas vezes. Eram moças atraídas pelo sucesso do repórter. Muitas moças, com as quais eu tentava esquecer a bela B.; recebi então um telegrama cifrado de Tia Çãozinha; dizia:

"B. seguiu Belo Horizonte PT Céu claro PT abraços Çãozinha."
Uma tarde, eu saía da Assembleia Legislativa na Rua Tamoios, quando senti que estava sendo seguido pelo agente secreto Nelson Sarmento; no meu dossiê ele havia registrado aquele dia de maneira surrealista:

"... raspou a barba, depois do fracasso da tentativa de transformar a Serra do Curral numa Sierra Maestra; mas ainda tem a luz brilhando nos olhos — e por causa dessa luz eu poderia prendê-lo, de tão suspeita que ela é; eu hoje ia dar-lhe voz de prisão; esperei que deixasse a Assembleia Legislativa, onde foi gozar o sucesso da compra dos nordestinos — viu que estava sendo seguido por mim, atravessou a Avenida Amazonas e desapareceu; eu o encontrei pouco depois na Rua São Paulo na fila do lotação Nova Suíça; podia prendê-lo, mas ele reencontrava a bela B.; fiquei de longe, espionando a alegria dos dois..."

Foi verdade, como contarei daqui a pouco.
(Ia chegar o dia, depois do golpe militar de 1964, quando surgiram os agentes do DOI-CODI, do Cenimar, do SNI,

em que iríamos sentir saudade de você, Sarmento, com seu andar de pomba, a chave girando no dedo, o cabelo à Príncipe Danilo e uma certa familiaridade que ganhamos com você; na verdade, Sarmento — onde você anda? — sua presença que nós mesmos, os de esquerda, valorizávamos, também nos valorizava: nós nos sentíamos importantes sendo espionados por você porque havia uma certa inocência em tudo aquilo — em você e em nós; quando começaram as torturas, as mortes, os desaparecimentos pós-1964, ah, Sarmento, do fundo de nossos corações, tínhamos saudade de quando sonhávamos com uma Sierra Maestra e você nos seguia, esperando descobrir, antes de qualquer outro agente, qual de nós seria o futuro Fidel, o futuro Che, o futuro Camilo Cienfuegos ou o futuro Juan Almeyda, fica aqui esta vinheta de homenagem, Sarmento, e espero sinceramente que você a leia.)

28

Encontrando a Bela B.

Fugindo de Sarmento, entrei na Perfumaria Lourdes; tinha a meu lado um companheiro de fuga, o repórter Ponce de Leon, do *Binômio*, que também fez parte do grupo de guerrilheiros da Serra do Curral; esperamos um pouco e atravessamos a Rua São Paulo: nos escondíamos entre os que estavam nas filas dos lotações na Rua São Paulo, que iam para a Barroca e a Nova Suíça; foi então que vi na fila do lotação Nova Suíça a bela B., e eu disse a Ponce de Leon:
— É ela.
— Ela quem?
— A bela B.

— Então vai falar com ela. — disse Ponce de Leon; e como eu vacilasse: — Vai falar com ela, senão eu vou lá e digo que você está aqui.

Fui falar com ela: estava emocionado, mas a bela B., muito à vontade: mais tarde eu ficaria sabendo que estava à minha espera, vinha toda tarde, desde que me viu passar por lá outro dia. Eu estava quase sem voz: recebeu-me com um sorriso de quem já estava decidida, e com todos os encantos com que, desde uma manhã, muitos anos atrás, eu a vi pela primeira vez no campo de futebol do Aimoré Futebol Clube, em Santana dos Ferros, quando assistia a um treino, do qual estava de fora devido a uma contusão no joelho.

Não, não sou capaz de reconstituir o que aconteceu ali na fila do lotação Nova Suíça; é verdade que a acompanhei até a casa da tia de Belo Horizonte, onde estava hospedada, na Avenida Amazonas; convidou-me para descer e ficar conversando na porta da casa, sentados numa pequena mureta, até o anoitecer. A tia de Belo Horizonte veio cumprimentar-me. Quando chegou a hora de sair perguntei à bela B. se tinha namorado. Tinha. Era um primo que queria casar com ela. Perguntei se gostava dele. Respondeu-me que não. Ficamos de nos encontrar mais vezes. Onde? Ali na casa da tia de Belo Horizonte. Quando eu estava saindo, perguntou:

— Você é mesmo comunista?
— Sou — respondi muito sério.
— E come criancinha assada?
— Como.

Riu: estava tranquila e eu iniciava um período de explosiva felicidade. Na minha inocência, acreditava que, sendo um repórter relativamente famoso, depois da reportagem de que até a revista *Time* falou, não haveria obstáculo algum contra nós.

29
TEMPOS CLANDESTINOS

Eu tinha poetas muito queridos naquela época:

- O chileno Pablo Neruda:
"Puedo escribir nos versos
mas tristes esta noche
escribir, por ejemplo,
yo la quis e, a veces,
ela tambien me quiso..."

- O turco Nazim Hikmet:
"Dormir hoje
e acordar daqui a 10 anos..."

- O negro americano Langston Hughes:
"Deitar ao sol em algum lugar
e dançar, cantar, pular
este o desejo meu
até que a noite caia
negra como eu..."

- O francês Paul Éluard:
"Nada mais forte
que o amor
jazendo em sua ilusão
de pé em sua verdade..."

- O cubano Nicolás Guillén:
"Los grandes muertos
no mueren nunca..."

Mas, na verdade, estava começando uma guerra e nosso hino de batalha, meu e da bela B., daí em diante seria uma música de Tom e Vinícius:

"Eu sei e você sabe
já que a vida quis assim
que nada neste mundo
levará você de mim..."

Certa manhã, recebi um telegrama urgente de Tia Çãozinha; eu devia decifrá-lo, pois dizia:

"Nuvens negras no céu PT Segue carta PT Abraços, Çãozinha."

Será que Tia Ciana, na luta contra a presença de Adão nu na matriz de Santana dos Ferros, tinha iniciado, enfim, sua greve de fome? Não: para falar de Tia Ciana Tia Çãozinha não precisaria usar uma linguagem cifrada; de qualquer forma, naquela tarde, a bela B. telefonou para a redação do *Binômio* dizendo que precisava ver-me com urgência. Encontramo-nos no ponto do lotação Nova Suíça, e a verdade (o que a carta de Tia Çãozinha também iria dizer) é que a tia de Belo Horizonte, partidária do casamento da sobrinha com o primo tinha escrito uma carta para o irmão, pai da bela B., dando conta dos últimos acontecimentos e perguntando:
— O que devo fazer? Decida e obedecerei:
— Proíba os encontros — ordenou o pai da bela B.
A tia de Belo Horizonte chamou a bela B. e comunicou: os encontros não poderiam mais se realizar em sua casa. E agora? Mudamos de hino: nosso hino agora era uma música de Miguel Gustavo: *E daí?*

"Proibiram que eu te amasse
proibiram que te visse

proibiram que eu saísse
perguntando em vão por ti
(...)
proíbam muito mais
fechem portas ponham guizos
nosso amor perguntará:
E daí? E daí?"

Depois de inesquecíveis encontros nas casas da tia de Itabira e da tia de Santana (que era quem dava as grandes risadas, muito tempo proibidas), o pai da bela B. disse que ela escolhesse: ou casava com o primo ou não seria mais considerada sua filha; foi um escândalo em Santana:

— O mundo está mesmo de cabeça para baixo e Santana caminha a passos largos para ser uma Sodoma e Gomorra: a bela B. abriu mão de toda a fortuna do pai para se casar com um comunista que não tem onde cair morto.

30

O Cerco da Peste

Era uma ensolarada manhã de quinta-feira, que combinava com o meu estado de espírito: uma manhã feliz, como eu estava; tinha conseguido uma licença de dois dias no *Binômio* e, na companhia de Aramel, o Belo, e do repórter e fotógrafo Ponce de Leon, que ia documentar tudo, seguia para Santana dos Ferros para ficar noivo da bela B., mesmo com a oposição do pai; a cerimônia seria na casa da tia Nevita, e das grandes risadas; enquanto o Mercedes grená de Aramel, o Belo, rodava numa estrada empoeirada, eu pensava que o tempo muda tudo neste mundo.

— Dentro de duas horas, Ponce de Leon — avisou Aramel, o Belo —, você vai conhecer Sodoma e Gomorra!

Aramel, o Belo, estava evidentemente exagerando, mas nos últimos tempos, menos de dois anos, um ano e oito meses, Santana dos Ferros tinha mudado tanto que parecia outra cidade; já nada tinha da época em que era uma prisioneira do Padre Nelson, com suas alegrias proibidas; desde a chegada do Padre Geraldo Cantalice, Santana dos Ferros começou a ser libertada: ganhou a igreja moderna construída em tempo recorde, pelo voto livre; o polêmico painel com Adão nu lá estava; os bailes foram liberados; o carnaval permitido; os maiôs; a risada da Dona Nevita agora era livre; a ida às praias no Rio; as prostitutas Alição, Alice e Alicinha podiam ir e vir; o cinema antes dedicado a sonolentos filmes sobre a vida de santos, exibia os grandes clássicos do cinema: havia filas imensas para ver *Gilda*, *...E o vento levou*, um festival de Carlitos bateu todos os recordes, Gina Lollobrigida encantava os homens, Burt Lancaster atraía as mulheres; e era inaugurado o primeiro e inacreditável bordel de Santana dos Ferros que ficava no Alto do Pedrão, onde os aviões passavam tão baixos que dava para ver os passageiros nas janelas — a cidade foi invadida por mulheres perfumadas, havia até mesmo argentinas e paraguaias. Numa atmosfera assim, para completar a lista de escândalos, a filha de um dos donos da terra, a bela B., mesmo correndo o risco de ser deserdada, rebelava-se, e todos repetiam:

— Deu a louca no mundo: ela vai se casar com um comunista!

Assim, ressalvada a parte do sobrinho, que para ela era o único comunista da face da terra bom e sério, quando apagava as luzes do quarto um devoto de Deus (disso ela tinha certeza), dias antes Tia Ciana iniciou sua greve de fome, protestando não apenas contra o Adão nu, mas contra tudo o que fazia de Santana dos Ferros uma Sodoma e Gomorra.

Pobre Tia Ciana: foi declarar-se em greve de fome diante do altar de Santana na igreja matriz, exatamente na noite de inauguração do bordel no Alto do Pedrão, quando a cidade, desde a manhã, não tinha outro assunto, mesmo porque correu a notícia, que Carlindo Machado, o dono do bordel, confirmava, eletrizando os coronéis fazendeiros: Hilda Furacão estaria presente, cortaria a fita de inauguração do bordel batizado como Paraíso Encantado; a cada mulher que chegava nos carros e ônibus fretados por Carlindo Machado, todos (dizem que até mesmo a beata Fininha) gritavam pensando que fosse Hilda Furacão:

— É ela! É ela!

Até o cão Joli foi ver a movimentação, de maneira que a Tia Ciana, sentindo-se desprestigiada, trocada "por uma pecadora como a tal de Hilda Furacão", abandonou a greve de fome, o que Tia Çãozinha creditou aos bons ofícios de Santo Antônio — mas Tia Ciana rogou uma praga:

— Jesus e Maria Santíssima vão punir Sodoma e Gomorra e castigá-la à altura de seus pecados!

É verdade, todos sentiam-se pecadores em Santana dos Ferros — eu ia pensando, enquanto o Mercedes de Aramel, o Belo, deixava uma nuvem de poeira atrás de nós; havíamos combinado que, na cerimônia do meu noivado com a bela B., Frei Malthus daria uma bênção e diria algumas palavras para amenizar o fato de a bela B., educada na religião católica e nos colégios de freiras em Mariana, se casar com um comunista ateu; o Frei Malthus três dias antes de nós, estava em Santana dos Ferros, pois mais do que nunca necessitava da geleia de jabuticaba de Dona Nhanhá.

— Então, o Santo vai dar uma bênção na hora do noivado? — perguntou Aramel, o Belo; perguntou por perguntar ou para fazer gozação, que era muito do seu feitio, pois sabia de tudo; já íamos entrando no município de Santana dos Ferros, após deixarmos Santa Maria de Itabira para trás quando vimos vários caminhões parados e mais o ônibus de Santana dos Ferros e dois ou três carros, com soldados da Polícia Militar montando guarda.

— Puta merda! O que será que houve? — disse Aramel, o Belo, e parou o Mercedes.

Descemos e fomos ver: não podíamos seguir, tinha começado há duas horas o cerco a Santana dos Ferros por causa da peste bubônica.

— O que está acontecendo lá? — perguntei ao soldado Aristides, que tinha sido meu colega de grupo escolar.

— Foi uma praga que sua Tia Ciana jogou. Está que não para de morrer gente.

31

As Ondas de Boatos

Ali mesmo, na barreira feita pela Polícia Militar por ordens do comando geral em Belo Horizonte, começamos a ouvir notícias de Santana dos Ferros:

— Diz que a peste já matou trinta, só da noite para o dia.

— Houve uma invasão de pulgas que chegaram nas malas das mulheres do bordel.

— Os cemitérios já não comportam mais.

Voltamos a Belo Horizonte; na redação dos jornais, no Palácio do Bispo, no Palácio da Liberdade, chegava o desesperado apelo de Santana:

— Não nos abandonem!

Mas o governador, em vez de mandar médicos e enfermeiros, mandava soldados; e um cinturão armado foi feito de forma a evitar fugas, já que ninguém, a não ser este narrador, pensava entrar em Santana dos Ferros; telegrafei à bela B.: não obtive resposta — e se tivesse morrido vítima da peste? Telegrafei a Tia Çãozinha e em seguida a Tia Ciana: não obtive resposta — e se tivessem morrido? Telegrafei a Frei Malthus e a Dona Nhanhá — não obtive resposta, imaginei: estão todos mortos. Nos jornais as notícias eram alarmantes; o repórter

Mauro Santayana, que tinha furado o cerco, fez um relato impressionante no *Diário de Minas*: até os pássaros e os peixes do Rio Santo Antônio estavam morrendo de peste e as pessoas que ainda sobreviviam e enterravam seus mortos esperavam a morte como um castigo, uma penitência por Santana dos Ferros ter se transformado numa Sodoma e Gomorra; o telégrafo estava mudo, já não mandava pedidos de socorro, e o único radioamador da cidade deu adeus ao mundo em esperanto e saiu do ar.

32

A Cidade Fantasma
(em que hilda furacão reaparece)

Era de manhã; o cerco a Santana dos Ferros ultrapassava os quarenta dias e Hilda Furacão pediu que eu fosse ao apartamento 304 do Maravilhoso Hotel; estava mais bonita do que nunca, talvez porque ainda fosse jovem (mal passava dos 23 anos).

— Temos que fazer alguma coisa — disse. — Não podemos ficar de braços cruzados.

— Mas fazer o quê? — eu estava desesperado.

— Ir lá. Por que não vamos lá, você e eu?

— É uma loucura: não nos deixarão passar.

— Mas o Santayana não foi?

— Dizem que foi um grande saque. Cascata, como falamos. Foi barrado pelo cordão armado de soldados.

— Mas tem cordão de soldados armados até no céu? Tem?

— No céu, não. Mas não estou entendendo.

— Vamos lá de avião. Hein?

— Mas... e o avião... que avião?

— Alugo o avião.

— Você aluga?

— Alugo, vamos sobrevoar Santana dos Ferros e ver o que está realmente acontecendo.

— O avião pode descer no campo de futebol.

Fretamos um pequeno avião da Líder, que estava iniciando suas atividades aéreas; era manhã de um sábado de carnaval, eu tinha pânico de avião, mas tal era o meu estado, pensando no que podia ter acontecido à bela B. e às pessoas que tanto amava, como Tia Çãozinha, Tia Ciana e Frei Malthus, que entrei no pequeno avião ao lado do piloto e de Hilda Furacão sem medo algum; tive a ideia de fazer algumas faixas com frases como "Fiquem calmos: estamos com vocês" e um recado para a bela B.: "Beatriz: eu te amo".

Uma hora e 25 minutos depois de deixarmos o aeroporto da Pampulha, começamos a nos aproximar de Santana dos Ferros, mais 5 minutos e estaríamos sobrevoando a cidade — o piloto era particularmente interessado: tinha nascido em Santana, seu pai, mãe, avós e irmã estavam lá. Era conhecido como Benedito Pães, ou apenas Pães, e quando deixou Santana dos Ferros dizendo "um dia vou passar lá nas nuvens pilotando um avião e aí vou urinar na cabeça de todos vocês", riram dele, não acreditavam que pudesse ser piloto de avião, agora sobrevoava Santana dos Ferros, mas não ia cumprir sua promessa, não ia urinar na cabeça de ninguém; a nós ele dizia:

— É esquisito, né?

Era um homem que gostava de mistérios; depois da aviação, o que mais amava era ler histórias policiais e de mistério, não perdia um número do *Ellery Queen Magazine* e nos mostrou: mesmo no avião trazia uma, quando viajava sozinho e conhecia a rota costumava reler os trechos mais eletrizantes.

De repente o avião perdeu altura e vimos Santana dos Ferros atravessada pelo Rio Santo Antônio, as duas longas ruas estendendo-se preguiçosamente nas duas margens, a ponte de cimento no meio; o avião perdeu mais altura e o que vimos foi de gelar: uma cidade fantasma, não havia ninguém nas ruas, em ponto algum, por mais que procurássemos; era pouco mais de 11 da manhã, as janelas das casas estavam abertas mas ninguém aparecia e a porta da igreja matriz também estava aberta, mas não havia vivalma.

— Aquela casa lá na beira do rio — disse Pães — é a casa de meus pais. Vou sobrevoar lá.

Também não havia ninguém, as janelas abertas, e ninguém.

— É esquisito — disse Pães.

— Esquisito o quê? — perguntou Hilda Furacão.

— É esquisito. Eu vi as galinhas no quintal lá de casa e vi cães e gatos na rua e vi pássaros no adro da igreja. Vocês viram?

— Também vi — eu disse. — Mas é esquisito, como e por quê?

— É esquisito, porque se a tal peste estava matando pássaros e aves, como explicar a presença dos pássaros no adro da igreja e das galinhas no quintal lá de casa? E os cães e os gatos andando nas ruas?

Uma esperança cresceu no meu coração e Hilda Furacão apertou minha mão.

— E é esquisito ainda — seguiu Pães — porque não fumo, então tenho um olfato muito bom e não senti cheiro de morte.

— Mas onde se meteram que não vemos ninguém — disse Hilda Furacão. — Onde se meteram?

— Aí é que nós vamos ver — falou Pães. — Segurem bem que vou fazer algumas piruetas no céu; se estiverem vivos vão aparecer nas janelas para ver o que está acontecendo ou até mesmo vão sair nas ruas.

Apertamos bem os cintos, e o avião ganhou altura; subiu com o bico para cima e, como se fosse bombardear a cidade, dava voos rasantes, tirava finos na torre da igreja, no teto das casas, na ponte, na própria superfície do rio; então, dando gritos como índios peles-vermelhas em luta contra caras-pálidas nos filmes de faroeste, Pães fez o avião subir como se fosse para o fim do céu e despencou lá do alto, fazendo um parafuso; repetiu o parafuso e deu a sensação de que íamos cair no Rio Santo Antônio.

33

A Cura Pelo Riso

Foi então — e aqui este narrador baseia-se em depoimentos que ouviu — que, no sobrado mais moderno de Santana dos Ferros, uma mulher apareceu na janela porque não resistia mais de curiosidade e ao ver o avião fazer o parafuso e desaparecer atrás de uma árvore e novamente subir, gritou:
— Eu juro. É o doido do Pães que faz parafuso com o avião.
Ela sentiu uma tal alegria que soltou a sua risada, aquela risada que esteve tantos anos proibida e que desde que começou o cerco da peste ela decidiu silenciar, dizendo:
— Se é para o bem de todos e felicidade geral de Santana dos Ferros, digo ao povo que não vou mais dar minha risada.
Havia exatamente 41 dias que não dava a risada; soltando com a força de uma seriema — as seriemas que cantavam lá no Alto do Pedrão — sua risada, entremeada pelos roncos do avião e que tanta influência tinha nas almas simples de Santana dos Ferros, levou os que estavam em casa rezando à espera da morte a um mesmo pensamento:
— Se Dona Nevita voltou a dar a risada, é sinal de que as coisas não estão tão pretas como parecem.

34

Evoé, Carnaval

O primeiro efeito da risada da Dona Nevita atingiu um funcionário da agência do Banco do Brasil em Santana dos Ferros; alto, magro e mulato, folião inveterado, o Zezinho do

Raimundo Eusébio estava no quarto da casa do pai esperando a morte; viu o avião pela janela e pensou: é um delírio, estou morrendo e — como iria contar aos repórteres — leu uma faixa pendurada no avião: "Não se desesperem: nós amamos vocês" — tomou-a também como um delírio e decidiu:

— Vou morrer fantasiado de baiana!

Só então percebeu que era sábado de carnaval — todo sábado de carnaval, vestia-se de baiana, com um turbante à Carmem Miranda, um lança-perfume em cada mão, e saía desfilando pelas ruas da cidade como um solitário folião; na época do Padre Nelson ia preso a mando do Capitão Procópio, o delegado, e chegou a dormir uma vez na cadeia — mas nunca deixou de desfilar fantasiado de baiana.

— Quero morrer fantasiado de baiana e cantando um samba de carnaval.

Vestiu a fantasia, maquiou o rosto, pintou a boca com batom vermelho, fez uma pinta a lápis no rosto, pôs o turbante à Carmem Miranda, tirou os dois lança-perfumes de dentro do guarda-roupa e decidiu morrer cantando — já sabia até o samba que ia cantar para zombar da morte quando ouviu, nítida, forte, tão forte como o canto das seriemas no Alto do Pedrão, a risada da Dona Nevita; sua primeira reação foi dizer:

— Uai?!

Ainda na dúvida — embora de toda maneira decidido a não ficar esperando a morte dentro do quarto, mas morrer na rua sambando fantasiado de baiana — saiu do quarto, ganhou a rua e enquanto o avião dava novos voos rasantes soltou um grito:

— Evoé, carnaval!

Vestido de baiana saiu pela rua sambando, soltava jatos de lança-perfume e cantava:

"É hoje que eu vou me acabar
amanhã eu não sei
se eu chego até lá..."

Então, no que ia cantando e desfilando pela rua, foi seguido, primeiro pelas ovelhas negras das famílias: mães solteiras; candidatos a suicidas; um suicida arrependido; um rapaz tido como louco; a moça que tomava Gardenal; a menina viciada em xarope e que por isso apanhava do pai; alcoólatras inveterados; homossexuais enrustidos; comunistas disfarçados; a moça da perna fina e a outra grossa; a loura casada com um negro e o negro com a loura; a vergonha da família; as prostitutas principiantes; os pobres de toda espécie — uns fantasiados, outros não, mas descobrindo que podiam ser alegres; enquanto o avião agora voava mansamente no céu o bloco foi aumentando, dançando e cantando pela rua, repetindo o refrão que Zezinho do Raimundo Eusébio comandava:

"É hoje que eu vou me acabar
amanhã eu não sei
se eu chego até lá..."

Quando o bloco passou pela pensão onde as mulheres do bordel esperavam a morte, elas também saíram às ruas com os vestidos que já de si pareciam fantasias, e eram lideradas pela argentina e pela paraguaia, logo as duas, que falavam portunhol e que, quando começou o cerco e sentiram que iam morrer, contaram a verdade: eram brasileiras, apenas fingiam-se, uma de argentina, a outra de paraguaia, porque conheciam o fraco dos homens brasileiros por mulheres argentinas e paraguaias; e iam cantando:

"É hoje que eu vou me acabar
amanhã eu não sei
se eu chego até lá..."

Aos poucos, à medida que o bloco evoluía e agora descia a rua que ia dar na boca da ponte, os carros começaram a sair às ruas buzinando e os irmãos e os pais das ovelhas negras da família também saíram dançando e pulando, e quando atravessou a ponte, o bloco liderado por Zezinho do Raimundo Eusébio era maior até que a procissão de Santana e mais festivo, muito mais festivo que as festas do rosário quando o rei e a rainha eram coroados e que voltaram a ser realizados depois da saída do Padre Nelson; e todos cantavam:

"É hoje que eu vou acabar
amanhã eu não sei
se eu chego até lá..."

Quando o bloco atravessou a ponte recebeu a adesão dos músicos da banda conhecida como A Furiosa Santanense; colocaram-se logo atrás de Zezinho do Raimundo Eusébio. Estavam todos vestidos de pierrôs e, então, Zezinho do Raimundo Eusébio combinou, a um sinal, com eles — e agora reviviam os maiores sucessos do carnaval brasileiro:

"Tomara que chova
três dias sem parar..."

Logo o samba voltava, como um refrão:

"É hoje que eu vou me acabar
amanhã eu não sei
se eu chego até lá..."

Os carros iam e vinham buzinando; lá em cima, no avião, eu e Hilda Furacão estávamos chorando e o piloto Pães vendo aquilo tudo, com lágrimas nos olhos, repetia:
— Não é esquisito?
O bloco ia só aumentando lá embaixo:

"Chegou o general da banda
ê, ê

chegou o general da banda
êh, ah..."

E em seguida:

"Mamãe mamãe eu quero
mamãe eu quero mamar..."

E como era um dia de alegria — sábado de carnaval! — e descobriu que não tinha morrido, que não ia morrer, que apenas todos deram a si mesmos uma punição, uma autopenitência por acreditarem na praga de Tia Ciana, o próprio Zezinho do Raimundo Eusébio cantou:

"Se veste de baiana
pra fingir que é mulher
vai ver que é
vai ver que é"

No adro da igreja, foliões chegavam dançando, traziam confetes e serpentinas e quando o imenso bloco passou diante da casa paroquial, o Padre Geraldo Cantalice, que a tudo assistia ao lado de Frei Malthus, viu a baiana com turbante igual ao de Carmem Miranda, não se conteve e disse:

— Deus me perdoe, Frei Malthus! É uma festa pagã, mas tenho que abençoar, mesmo porque estamos vivos e o pesadelo passou!

Zezinho do Raimundo Eusébio deu um banho de lança-perfume em Padre Geraldo Cantalice e em Frei Malthus — que, a mim, confessou: cheirou o lança-perfume, cheirou como nunca tinha cheirado, sentiu tudo dançar e cantar e acreditou que a mulher que estava no avião era encantada como a Gata Borralheira e a Cinderela; e amou a dor de cabeça provocada por sua alergia a qualquer tipo de perfume e se misturou à multidão, ele e o Padre Geraldo Cantalice, quando, no adro da igreja, todos começavam a se abraçar, uns a se beijar, chorando e ao mesmo tempo rindo, e logo aplaudindo o avião quando passou muito baixo em frente à casa da Dona Nevita — ela, a mulher da risada — mostrando uma faixa que dizia em letras vermelhas: "Beatriz: eu te amo!"

(Muita coisa aconteceu desde então: a bela B. veio para Belo Horizonte e ficou hospedada em casa de Dona Lili e Seu Aristides, pais de Nilde, casada com Wilson, irmão da bela B. Casamos num dia 2 de fevereiro e pouco depois deixei o semanário *Binômio* para ser chefe de reportagem da edição mineira da *Última Hora*; numa tarde em que os aviões voavam misteriosamente no céu de Belo Horizonte, fui encontrar o secretário particular do Governador Magalhães Pinto, Paulo Camilo de Oliveira Pena, que ia me levar para tomar posse num cargo no governo federal; eu subia a escada do Palácio da Liberdade quando encontrei Paulo Camilo e ele me disse:

— Já soube o que aconteceu? O Jânio renunciou.

Desci as escadas do Palácio da Liberdade e voltei à redação da *Última Hora*: o Presidente Jânio Quadros tinha renunciado, denunciando "as forças ocultas"; os ministros militares, à frente o General Denys, recusaram-se a dar posse ao Vice-Presidente João Goulart, o Jango, que estava na China acusando-o de comunista; Leonel Brizola, governador do Rio Grande do Sul, rebelou-se com o apoio III Exército comandado pelo General Machado Lopes, e colocou no ar a Rede da Legalidade, criamos um comitê clandestino da resistência ao golpe e apoio à posse de Jango que se reunia no laboratório fotográfico da *Última Hora*, e, à noite, a bela B. saía, enfiando debaixo das portas panfletos que diziam: "Ouça a Rede da Legalidade de Brizola. Diga não ao golpe militar e sim à posse do legítimo vice-presidente eleito".

A guerra civil parecia que ia começar a qualquer momento; uma tarde fazíamos um comício pela posse de Jango na escadaria da Igreja de São José; eu ia discursar quando veio se aproximando um caminhão do Exército carregado de soldados; começamos a cantar o Hino Nacional e o caminhão do Exército passou sem parar, apenas diminuiu a marcha, para não atropelar ninguém; da carroceria, soldados armados de fuzis e metralhadoras acenaram para nós.

Jango tomou posse com o parlamentarismo aprovado a toque de caixa, como dizia o jornalista Sebastião Nery; pouco depois, José Maria Rabelo deu um murro na cara do General Punaro Bley, comandante da ID-4 em Belo Horizonte, e deixou uma flor lilás no olho esquerdo do general; tudo aconteceu de manhã — por volta do meio-dia, tropas militares comandadas pelo Coronel Roberto invadiram a redação do *Binômio* e quebraram tudo; nada restou, inclusive o laboratório fotográfico, e eu fiquei sem os negativos das fotografias de meu casamento com a bela B. que Antônio Cocenza tinha feito e guardado lá; estava começando, sob o governo de João Goulart, um tempo de muita agitação, conspiração militar, greves e a promessa de que a reforma agrária viria, na lei ou na marra. Por esse tempo, o grupo Magalhães Pinto comprou a revista *Alterosa* e foi para lá como editor; era perseguido por uma frase da bela B. dita quando chegou a Belo Horizonte, brigada com o pai, que mais tarde voltaria a ser seu maior amigo, para casar comigo:

— Não me decepcione!)

CINCO

O

O GENERAL E A ROSA

Por aqueles dias, na véspera dos acontecimentos que iriam colocar num redemoinho a vida deste narrador e de todos os personagens desta história, no agitado tempo do governo João Goulart, o deputado federal José Aparecido de Oliveira, diretor-presidente da revista *Alterosa* (de que eu era o editor) e o mais influente secretário do governador de Minas, Magalhães Pinto, morava com a mãe, Dona Araci, numa casa na Rua Santa Catarina, em frente ao comando da V Região Militar do Exército em Belo Horizonte; era também alí a residência particular do comandante, e da sacada de José Aparecido dava para ver, nos fins de tarde, quando acabava o expediente, o General Carlos Luís Guedes com uma enorme tesoura na mão cuidando das rosas nos jardins em frente da casa; toda tarde, o General Guedes podava uma rosa vermelha e levava para dentro de casa, e então já não o víamos mais e eu pensava:

— O que um general faz com uma rosa?

A casa de José Aparecido era muito frequentada e movimentada; ele falava ruidosamente ao telefone, gargalhava, contava casos e tinha o costume de arrastar uma extensão telefônica para a sacada e ficar conversando, vestindo apenas uma cueca branca — a cueca daqueles anos, larga e feita de pano —, indiferente à presença do General Guedes cuidando de suas rosas no jardim; José Aparecido recebia algumas visitas que não deveriam ser agradáveis ao general: o deputado federal e ex-governador do Rio Grande do Sul, Leonel Brizola, na época lançando o slogan "Cunhado não é parente: Brizola para presidente", pois já era casado com Dona Neusa, irmã de João Goulart e tido como inelegível por seus adversários — e a quem os militares conservadores detestavam; o governador de Pernambuco, Miguel Arraes, um mito das esquerdas, considerado perigoso comunista no meio militar; o governador de Sergipe, Seixas Dória, nacionalista ferrenho e por isso chamado de Seixas Tório; e um espantalho daquela época: o deputado Francisco Julião, o Julião das Ligas Camponesas, para quem a reforma agrária no Brasil tinha de ser feita "na lei ou na marra". A todos, José Aparecido levava para a sacada — um de cada vez, nunca apareciam juntos, e ficavam conversando enquanto o general cuidava de suas rosas.

Uma tarde, quando as greves convocadas pela CGT sacudiam o país e já se falava em rebelião militar, sentado na sacada de José Aparecido, o governador Miguel Arraes viu o General Guedes cuidando das rosas e sentenciou:

— Enquanto generais estiverem cuidando das rosas podemos dormir tranquilos.

Mais experiente no trato com militares, ao saber por José Aparecido o que Arraes havia dito, o deputado Leonel Brizola carregou no sotaque gaúcho para dizer:

— A ti te digo, tchê, o grave é quando um milico está cuidando das rosas.

Já o ex-membro da Frente Parlamentar Nacionalista, o Governador Seixas Dória, brincou:

— Quem vê a rosa, não vê o coração de um general.

Quanto ao espantalho Francisco Julião, considerado um Antônio Conselheiro de esquerda, indo beber um café com José Aparecido num intervalo do congresso pela reforma agrária, que as Ligas Camponesas realizavam na Secretaria da Saúde com a simpatia e o apoio do Governador Magalhães

Pinto, o espantalho olhou da sacada e vendo o general com sua tesoura cuidando das rosas no jardim que, por sinal, ficava em meio a uma imensa área gramada, disse:
— Mas é um autêntico latifúndio! — agitando as mãos:
— Pois faremos a reforma agrária, na lei ou na marra, até no jardim e nas rosas do general!

Este narrador ouvia aquelas conversas e vendo o General Guedes indiferente a tudo, mesmo aos ruidosos telefonemas que vararam noite adentro, perguntava:
— Quem tem razão: Arraes, Brizola, Seixas Dória ou Julião?

Aguardem: não vai demorar e saberemos; naqueles dias agitados, eu escrevia um diário por causa da insônia e do medo de morrer que eu sentia, e anotava os fatos em geral.

1

O BAFO DA ONÇA

Recorro ao diário daquela época, não para pinçar notas sobre o general e a rosa, mas para ver a quantas iam nossos personagens; Aramel, o Belo, por exemplo: ainda era don juan de aluguel a serviço do vilão desta história, Antônio Luciano?
— era e, como se verá, estava em apuros; ainda namorava Gabriela M.? Vejam a resposta no diário:

11 de Agosto de 1963 (ao anoitecer)
Aramel, o Belo, apareceu à tarde na redação da *Alterosa*. Estava muito tenso e disse que precisava falar com urgência comigo. Levei-o para a sala de reuniões e ele contou: estava sendo pressionado para entregar Gabriela M. a Antônio Luciano. Perguntei:
— Por que ele só a quer agora, tanto tempo depois?

Respondeu:
— Porque só agora ele se interessou por ela.
Perguntei:
— E você vai entregar?
Respondeu:
— Não. Prefiro a morte.
Acreditava que sua salvação e a de Gabriela M. era a América, onde queria tentar a sorte como ator em Hollywood. Como precisava de dinheiro para a viagem pediu que eu levasse a Euro Arantes e a José Maria Rabelo, do *Binômio*, uma proposta: ele daria um depoimento gravado para ser publicado quando já estivesse fora do Brasil, revelando os métodos de Antônio Luciano em suas conquistas amorosas. Em troca, o *Binômio* lhe daria duas passagens aéreas para os EUA. Prometi conversar no dia seguinte com Euro e José Maria — e Aramel se tranquilizou um pouco.

11 de Agosto de 1963 (depois das 11 da noite)
A mesma insônia da época do *Binômio* está de volta: deito na cama, ao lado da bela B., e não consigo dormir com medo de morrer. Na época da *Última Hora* eu dormia bem porque tinha que acordar às 6 da manhã e estar na redação às 7 para fazer a pauta e distribuir os assuntos aos repórteres. Toquei no ombro nu da bela B. para conversar ou amá-la, mas ela virou pro outro lado na cama. Queria contar a ela (pois só falei sobre o caso de Aramel, o Belo) a cena que presenciei durante a tarde: mulheres rezavam em voz alta com um enorme terço nas mãos, na porta da loja de móveis que o ator Jonas Bloch tem no térreo do prédio onde fica a redação da *Alterosa*, na Rua Rio de Janeiro. Reconheci Dona Loló Ventura entre as rezadeiras e aproximei-me. Ela não me chamou de "coração", como na época da campanha da Cidade das Camélias. Já não usa os cabelos levemente pintados de azul. Agora os tem como são: brancos. Encarou-me com um duro olhar de tigre. Perguntei a um guarda-civil o

que estava acontecendo e ele apontou para um manequim de gesso, de seios nus e um colar caindo do pescoço, que Jonas Bloch havia colocado na vitrine para atrair fregueses. As mulheres, lideradas por Dona Loló, protestavam contra a nudez do manequim. Eram seis, e os que passavam na Rua Rio de Janeiro, na maioria, riam e jogavam piadas para as rezadeiras.

Fui falar com Jonas Bloch no escritório que ficava no fundo da loja e dar o meu apoio. Estava pálido. Jonas Bloch é judeu e em seus olhos muito azuis havia todo o susto dos judeus do mundo.

— Você vai cobrir a nudez do manequim? — perguntei.
— Vou é tirá-lo da vitrine. Estou só esperando as rezadeiras irem embora.
— Mas é só meia dúzia de rezadeiras, Jonas.
— E eu sei lá!

As mãos e os lábios de Jonas Bloch tremiam.

11 de agosto de 1963 (de madrugada)

Eu era mais feliz quando trabalhava na *Última Hora*. Eu era mais feliz ou o Brasil é que era mais feliz? Gostava de ficar debruçado na sacada da sobreloja do Edifício Joaquim de Paula, onde era a redação da *Última Hora*, olhando o movimento na Praça Sete, pensando nos ombros nus da bela B. e aguardando os repórteres chegarem com suas pautas cumpridas. E era bom esperar a bela B. no ponto do elétrico Cidade Jardim, perto dali, na Avenida Amazonas, em frente ao Edifício Dantés, e irmos ao cinema e depois voltarmos para casa, na Cidade Jardim. A bela B. queixa-se de que desde que fui para a *Alterosa* só falo em jornalismo:

— Se nascer um filho — perguntava — vai nascer uma revista ou um jornal?

Hoje a bela B. cortou o cabelo e eu não notei. Preciso voltar a fazer análise. Tento pensar em coisas boas para ver se o sono vem: o chargista Henfil, que eu descobri, batizei e lancei na *Alterosa*, criou dois personagens — são os Fradinhos. Um deles é inspirado em Frei Malthus, que é amigo de Betinho, irmão de Henfil. Não consigo dormir. Melhor é pensar no tempo da *Última Hora*. Éramos mais tranquilos ou o Brasil é que era mais tranquilo?

Fernando Gabeira namorava debruçado na sacada da *Última Hora*: sua namorada era magra e loura e tinha pernas muito finas. Vinha encontrá-lo usando o uniforme do colégio de freiras onde estudava. Quando a via chegar, o fotógrafo Antônio Amaral cantava:

"Vestida de azul e branco
trazendo um sorriso franco
no rostinho encantador
minha linda normalista
rapidamente conquista
meu coração sofredor..."

Gabeira tentava convencer a namorada (chamava-se Zulma) a deixar o noivo, cujo avô era um dos homens mais ricos de Minas, e a casar com ele, Gabeira, que era pobre mas sabia de cor os mais belos poemas de Pablo Neruda.

Outra cena do tempo da *Última Hora*, que recordo na esperança de que o sono venha e espante o medo de morrer: o homem de cabelos brancos conversa ao telefone na redação — todos foram embora, pois passa das 8 da noite, só ficamos Hélio Adami de Carvalho, o diretor Dauro Mendes, o secretário da redação, eu, chefe de reportagem, e o homem de cabelos brancos; ele está sentado numa cadeira debruçado ao telefone; tudo nele é impecável e elegante: as unhas muito bem cuidadas, a calça cinza, o sapato preto, por certo italiano, a camisa com pequenas listras azuis e brancas, a gravata de crochê grená, as abotoaduras douradas, o blazer azul; fala baixo ao telefone — sabemos que conversa com a mulher, Danusa Wainer, née Leão, que está no Rio de Janeiro no

apartamento onde moram; subitamente, o homem de cabelos brancos aumenta a voz:
— Você não pode fazer isso comigo, amor!
— ???
— Você quer me matar de vez? É isso que você quer?
— ???
— Não, eu te imploro, amor! Não desligue, eu te imploro!
— ???

O homem de cabelos brancos põe o telefone no gancho e fica em pé: é Samuel Wainer e está chorando.

12 de agosto de 1963
Hoje fui ao *Binômio* falar com Euro Arantes e José Maria Rabelo sobre a proposta de Aramel, o Belo. Disseram (foi mais José Maria quem falou) que, na fase atual, com o jornal envolvido na campanha pelas reformas de base, Antônio Luciano já não interessa mais ao *Binômio*.

13 de agosto de 1963
Transmito a Aramel, o Belo, a resposta de Euro Arantes e José Maria Rabelo e ele começou a roer unhas, como acontece quando está nervoso.
— Por que você não vende o Mercedes, Aramel, e compra as passagens para os Estados Unidos?
— Ele não é meu.
— Não é sua?
— É dele (referia-se a Antônio Luciano). Só posso rodar no Mercedes enquanto trabalhar para ele.
— Se você não entregar Gabriela M. Ele toma o Mercedes?
— Toma o Mercedes, toma o apartamento onde moro no Hotel Financial, perco as refeições, a ajuda de custos e comissões pelas "coelhinhas" que conquisto para ele.
— Você não tem grana nenhuma?
— Sabe o que é ser fodido e mal pago? Até a roupa que uso pertence a ele. Até as cuecas que uso são dele.

17 de agosto de 1963

Passa da meia-noite, Aramel, o Belo, e Gabriela M. estão dormindo no sofá-cama da sala de meu apartamento e da bela B. Escrevo na cozinha porque o medo de morrer voltou mais forte e estou sem sono; a bela B. estava na cozinha duas vezes — uma para dizer que eu devia fazer um esforço e tentar dormir; outra para contar que foi até a janela para fechar a cortina e viu lá embaixo, olhando para nosso apartamento, dois tipos estranhos. Olhei disfarçadamente por entre as cortinas do quarto e vi: eram dois tipos realmente estranhos olhando para nossa janela.

— Será que estão procurando Aramel e Gabriela? — sussurrou a bela B.

— Pode ser.

— E se eles encontrarem o Mercedes de Aramel?

— Aramel deixou o Mercedes num posto de gasolina perto da BR-3.

Os tipos ficaram por ali algum tempo e foram embora. Volto à cozinha. Antes, abri a porta da sala e vi: Aramel, o Belo, e Gabriela M. dormiam abraçados.

Quando cheguei da revista *Alterosa* hoje à noite encontrei os dois aqui em casa. Estavam muito assustados e Aramel, o Belo, contou que à tarde foi chamado ao covil de Antônio Luciano, no apartamento que ocupa no último andar do Hotel Financial, onde mora sozinho na companhia apenas de uma onça pintada. Nunca Aramel tinha ido lá. Nem nas três vezes em que ganhou o troféu Jorginho Guinle, que era dado ao don juan de aluguel que mais "coelhinhas" conquistava para Antônio Luciano.

Quando Aramel, o Belo, tocou a campainha no covil de Antônio Luciano não podia imaginar o que o esperava. O próprio Luciano veio recebê-lo acompanhado pela onça pintada.

— Seja bem-vindo, Aramel, o Belo — disse Antônio Luciano e, vendo-o parado na porta olhando assustado para a onça pintada: — Pode entrar sem medo, Aramel. Não conhece Teresa? — E apontando para Aramel: — Este é Aramel, o Belo, Teresa. Queira-lhe bem, Teresa.

Aramel entrou e sentou-se no sofá:

— Teresa é boa gente. Tem um coração muito bom. É o que eu digo, meu caro Aramel: confie numa onça, mas não confie nunca numa mulher.

Teresa, a onça pintada, não olhou com ares de amiga para Aramel, o Belo, e parecia interessada na conversa: não arredou pé do lugar.

— Recebeu o meu recado, Aramel?

— Que recado? — perguntou Aramel, para se refazer do susto com a onça pintada.

— Sobre a coelhinha.

— Que coelhinha, Dr. Luciano?

— Ora, a coelhinha. Gabriela, não é mesmo?

— Gabriela M. não está no acordo, Dr. Luciano.

— Posso saber por quê?

— Porque eu amo Gabriela M., Dr. Luciano, e vou casar com ela.

— Pode casar. Nada impede que você se case com ela, Aramel.

— Gabriela M. não, Dr. Luciano.

— Não mesmo?

— Não mesmo, Dr. Luciano.

— Então você vai ter que escolher, Aramel.

— Escolher o quê, Dr. Luciano?

— Ou você entrega a coelhinha ou devolve o Mercedes, o apartamento no Hotel Financial e até as roupas que você usa e que fui eu quem comprou.

— Gabriela M. não, Dr. Luciano.

— Não seja inocente, Aramel.

Como se obedecesse a um sinal de Antônio Luciano, Teresa, a onça, aproximou-se de Aramel, o Belo, e ficou cara a cara com ele; ficou tão perto que ele sentiu o bafo da onça e tomado de pânico disse:

— Está bem, Dr. Luciano.

— E que dia vejo a coelhinha, Aramel?

— Amanhã cedo, Dr. Luciano.

— Olhe, Aramel — alisou a cabeça da onça pintada —, Teresa é testemunha de tudo.

Mas Aramel, o Belo, e Gabriela M. estavam dispostos a fugir para os EUA.

— A América é nossa esperança — repetia Aramel, o Belo — Nossa única esperança é ir para a América.

18 de agosto de 1963

No café da manhã, eu e a bela B. falamos com Aramel, o Belo, e Gabriela M. sobre os dois tipos que rondavam o prédio depois da meia-noite.

— Um deles é forte, estilo Tarzã de avenida?
— É.
— Usa uma camisa furadinha como Tarzã de avenida?
— Usa — apressou-se a bela B. — Foi o que mais me chamou a atenção nele.
— Já sei quem é. Nem preciso mais saber como era o outro — e muito assustado: — Temos que dar o fora daqui, Gabriela, o quanto antes. Nem vou pegar o Mercedes no posto de gasolina.

Tomamos um táxi e fomos ao Convento dos Dominicanos, eu, a bela B., Aramel, o Belo, e Gabriela M., à procura de Frei Malthus.

— Sei onde vocês poderão ficar seguros, Aramel. Vou levá-los para lá o mais depressa.

Ainda pela manhã, numa Kombi do Convento dos Dominicanos dirigida pelo irmão leigo, Frei Malthus levou Aramel, o Belo, e Gabriela M. para a Serra da Piedade, onde existe uma igreja, e os deixou sob a guarda de Frei Rosário.

2

Ainda o Bafo da Onça

(Agora, que tudo aconteceu, passados tantos anos, e quando um recorte do *Washington Post* conta com detalhes quem é hoje Aramel, o Belo, é difícil acreditar no que leio — e, no entanto, é verdade; e eu pergunto:

— Foi o bafo da onça Teresa que fez Aramel, o Belo, mudar tanto assim?

Recordo-me de ouvir Aramel dizer, quando ainda não podia imaginar que seria conhecido como Pretty Boy:

— Depois que senti o bafo da onça, meu amigo, tudo que eu tinha de bom morreu dentro de mim.

Também pode ser que não tenha sido o bafo da onça, mas o desfecho surpreendente de seu caso com Gabriela M. que mudou tudo. Mas isso fica mais para a frente, porque imagino minha querida Tia Çãozinha recriminando este desajeitado narrador:

— Não se esqueça de que eu sei o desfecho do caso de Aramel, o Belo, e Gabriela M. Posso até pular esta parte do livro. O que quero saber mesmo é o que estava se passando com os outros personagens, você, a bela B. e principalmente, ah, principalmente, Frei Malthus e Hilda Furacão.)

3

Onde Andam os Coronéis

Devo valer-me ainda do meu diário:

2 de setembro de 1963 (pela manhã)

Confissão que faço antes de ir para a redação da *Alterosa:*
— Tenho uma alegria: pelo menos ainda não decepcionei a bela B.

2 de setembro de 1963 (10 da noite)
Recebi hoje à tarde uma visita inesperada na *Alterosa:* Hilda Furacão. Eu tinha ido ao Banco Nacional para uma reunião com Eduardo e Marcos Magalhães Pinto, que são os donos da *Alterosa*, e quando voltei, ela estava à minha espera. Já no elevador, senti o cheiro do perfume de Muguet du Bonheur, sua inconfundível marca registrada. Ela era muito festejada na redação: o repórter Ponce de Leon — que levei ao *Binômio* para a *Última Hora* e trouxe para a *Alterosa* — dizia:
— Hilda, desfaz um mistério: por que você deixou de ser a Garota do Maiô Dourado, que podia dar o golpe do baú em qualquer milionário, e foi para o Maravilhoso Hotel?
Livrei-a de ter que responder — fomos os dois para a sala de reuniões. Estava magra e tossia; magra ela não era tão bonita. Gostou do tratamento recebido na *Alterosa*; foi convidada a tomar o chá das 5, com pão e manteiga, servido toda tarde na redação, e o chargista Henfil presenteou-a com um cartoon feito na hora, no qual o fradinho Baixinho dizia a São Pedro, ao ver Hilda Furacão:
— Se no inferno tem Hilda Furacão, é para lá que eu vou.
Além de magra e da tosse, Hilda Furacão estava preocupada.
— Só assim, né, pra te ver — ela disse e tossiu.
— Você está tossindo muito.
— Tive uma gripe das bravas. Com febre de 40 graus e tudo. A tosse ficou como lembrança da gripe. Mas já, já passa.
— Você parece preocupada, Hilda.
— E quem, no Brasil, não está preocupado? Sei não, para onde que isso vai? Se o tal de abismo existir mesmo, dessa vez, adeus, o Brasil cai lá.
— E a crise do Brasil sobe as escadas do Maravilhoso Hotel e bate na porta do quarto 304?
Tossiu de novo, antes de responder:

— É no quarto 304 que a crise entra antes de qualquer outro lugar. E agora ela entra duas vezes. Entra por causa da inflação do Jango e entra porque os coronéis do interior sumiram, e eles é que fazem a festa do 304.

— Onde andam os coronéis, Hilda?

— Evaporaram. Estão por aqui — e fez um sinal na garganta — com a reforma agrária que o Jango prometeu. Estão comprando armas e mais armas.

— E não aparecem mais?

— Evaporaram mesmo. Sei não, se o Jango fizer a reforma agrária, sei não.

Amanhã registro o que falta da conversa com Hilda Furacão. O sono voltou e desapareceu o medo de morrer.

4

Eu não Nasci Ontem

Sigo recolhendo o que registra meu diário:

3 de setembro de 1963

Como eu dizia, Hilda Furacão estava triste. Ela é a pessoa mais forte que já vi — no entanto, estava triste. Será a sequela da gripe? Será a fuga dos coronéis? Será a crise batendo na porta do quarto 304 do Maravilhoso Hotel? Contou que agora costuma dormir antes da meia-noite. E já não há filas na Rua Guaicurus e ela tem saudades das filas.

— Tenho saudades do Brasil e tenho saudades de mim, como eu era, cê entende?

Entre os grandes coronéis do interior, só um continua a aparecer. O de Ilhéus. O que é fazendeiro de cacau e inspirou um personagem de Jorge Amado em *Gabriela*.

— Está querendo novamente me levar para Ilhéus. Insiste em construir uma casa para mim de frente pro mar.
— E você vai?
— Eu? — ria triste. — Eu não nasci ontem.
— Nasceu quando, Hilda?
— Nasci há 26 anos — alguma coisa riu e brilhou nos olhos dela. — Se te contar o dia, cê não acredita.
— Engraçado, você nunca falou e eu que quero transformar você em personagem nunca perguntei: que dia você nasceu, Hilda?
— No dia 1º de abril. Dia da mentira. Então eu não existo. E sabe qual foi a minha primeira noite na Rua Guaicurus? A noite de meu aniversário, 1º de abril de 1959.
— Foi em 1959, Hilda? Eu estava certo que foi em 1958.
— Foi em 1959. E tem um lero.
(Ela gosta muito de falar "tem um lero").
— Que lero?
— Procê eu conto: no dia 1º de abril de 1964, tudo termina — ela ficou iluminada. — Aí eu saio de lá, da mesma forma como cheguei.
— Mas por que no dia 1º de abril de 1964, Hilda?
— Esse lero eu ainda te conto.
— Por que cinco anos depois, Hilda? Por que exatamente cinco anos depois?
— Juro que procê um dia eu conto. Te conto tudo, cê não vai escrever um romance com a minha vida?
— Vou.
— Então, depois do dia 1º de abril de 1964 — e ela fez um surpreendente nome do padre — eu te conto tudo.
— Por que você não conta agora?
— Olha — apressou-se em abrir a bolsa e tirou um cheque —, eu vim pra te ver, claro, pois um senhor casado não põe os pés no quarto 304 nem pra ver a amiga. Vim aqui porque li no *Estado de Minas* que o coral de Frei Malthus, os Meninos Cantores de Deus, está passando dificuldades e pode até acabar

por falta de dinheiro. Então — agora tudo nela se iluminou e revi a Hilda Furacão de outros tempos —, então trouxe uma pequena contribuição para o coral e queria que ocê entregasse em mãos a Frei Malthus — iluminou-se toda, rejuvenesceu, voltou aos 20 anos, quando enfeitiçava as missas dançantes do Minas Tênis Clube. — Diga a Frei Malthus para não reparar a quantia, mas é de coração — e passou às minhas mãos o cheque, cujo valor a curiosidade que herdei de Tia Çãozinha me fez conferir.

— Dez mil, Hilda? Mas é uma verdadeira fortuna, Hilda.
— É de coração — disse.
— Amanhã cedo entrego a Frei Malthus.
— Em mãos?
— Em mãos — respondi e coloquei o cheque no bolso do paletó.

5

ELA É O DIABO, VOCÊ DUVIDA?

Era como se Hilda Furacão tivesse borrifado o cheque com o perfume Muguet du Bonheur e quando cheguei em casa, levando-o no bolso, a bela B. estranhou:

— Uai, mas que perfume é este? É muito forte e enjoativo. Só pode ser Muguet du Bonheur.
— Cheira, eu disse, tirando o cheque do bolso.
— Hum, é Muguet du Bonheur. Me dá náusea... e que cheque é este?

Dei para ela ver e contei o que era.

— Dez mil? Mas Hilda Furacão enlouqueceu ou... então... é isso... já sei, ela está, deixa pra lá.
— Está o quê?

— Louca varrida pelo Malthusinho (era como a bela B. chamava Frei Malthus). Só uma mulher apaixonada faz loucura com dinheiro.

— Abre mão da fortuna do pai — brinquei com ela.

— É... e assina um cheque de 10 mil para ajudar um coral.

Quando, no dia seguinte de manhã cedo, fui ao Convento dos Dominicanos entregar o cheque em mãos ao Frei Malthus, como prometi a Hilda Furacão, o Santo estranhou:

— Uai, que perfume é esse?

— É deste cheque, veja.

— Dez mil? Mas que brincadeira é essa?

— Não é brincadeira.

— E o que é, então?

— Vai me dizer que não sabe de quem é o cheque?

— Com este perfume... só podia ser dela — corrigiu —, só podia ser de quem é. Mas tanto dinheiro, a propósito de quê?

— Ela leu no *Estado de Minas* que o coral os Meninos Cantores de Deus pode acabar por falta de verba e resolveu ajudar. Pediu para você desculpar a quantia, mas disse que é de coração.

— Não brinca com coisa séria — estava mal-humorado.

Pôs-se a andar pela sala com o cheque na mão; parecia ter ímpetos de rasgá-lo ou de levá-lo à boca e beijá-lo; como temesse fazer uma coisa ou outra, deixou-o em cima da mesa e levou as mãos à cabeça:

— Esse maldito perfume... já estou com a cabeça estourando de dor! — E após engolir em seco uma aspirina que tirou do bolso do hábito: — Você vai levar este cheque de volta. Se você é meu amigo, vai fazer isso por mim.

— Está bem. Se você me der também o sapato dela para devolver, levo o cheque junto.

— Isso é chantagem!

— Não estou reconhecendo o Santo!

— Santo, uma ova! Santo era Santo Antão! Eu sou um reles pecador. Tudo por causa dela — e parou diante da reprodução do quadro *As tentações de Santo Antão*, do pintor holandês Pieter Brueghel, o Moço, que tinha na parede da sala. — Tudo por causa dela. Ela é a minha Rainha de Sabá. Eu me chicoteio todas as noites para não pensar nela. Já não como. Já não durmo — afastou-se para o canto da sala. — Juro por Santo Antão: já tinha decidido devolver anonimamente, pelo correio, o sapato dela — jogou-se no sofá, levando as mãos à cabeça. — Agora vem esse maldito perfume e eu fico pensando nela. Fico querendo cantar. Querendo dançar. Querendo abraçar o mundo.

Deixou o sofá e pediu um cigarro.

— Você está fumando? — estranhei.

— É para você ver a que ponto cheguei. Mas descobri o que ela é. Investiguei tudo a respeito dela. Ela é o Diabo, você duvida? Sabia quantos já se suicidaram por causa dela? Sabia? Sete já se suicidaram. Sete. Será que ela pensa que eu vou ser o oitavo? Está muito enganada.

Parou novamente diante da reprodução de *As tentações de Santo Antão*.

— Ela é a minha Rainha de Sabá.

Deu uma longa tragada no cigarro, olhou para mim e disse:

— Estive ontem na Serra da Piedade. Não sei o que vai ser de Aramel, o Belo. Juro por Santo Antão que não sei.

Apagou o cigarro pela metade, pegou o cheque, enfiou dentro do exemplar de *A tentação de Santo Antão*, de Flaubert, do qual agora não se separava e suspirou:

— Desculpa a explosão. Me faz um grande favor: telefona para ela e diga que eu pedi para agradecer a contribuição. Faça isso por mim se você realmente é meu amigo.

6

DEUS VOS SALVE DOR DE CABEÇA

A prima de Itabira telefonou: a mãe da bela B. estava lá e queria vê-la. De noite, eu estava em meu apartamento quando Frei Malthus tocou a campainha; foi a minha vez de estranhar:
— Uai, que perfume é esse?
— É do cheque dela.
— Mas você ainda não descontou nem depositou o cheque?
— Não.
— Por quê? Não vai querer mesmo o dinheiro dela?
— Não, é que eu quero ficar com alguma coisa dela comigo.
— Já não basta o sapato?
— Não.
— E a dor de cabeça?
— Continua e tenho tomado mais aspirina do que o poeta João Cabral de Melo Neto.
— Dói muito então?
— Deus vos salve, dor de cabeça. É uma dor de cabeça divina e abençoada por Deus. Mas vim aqui porque, como a bela B. viajou, você pode me acompanhar numa missão. Estou na Kombi do Convento.
— É para ir aonde eu estou pensando?
— Não sei — riu. — Aonde você está pensando?
— Na Zona Boêmia.
— Não — e ele riu novamente. — É na Rua Guaicurus.
— Você enlouqueceu, Santo?
— Não vamos descer. Vamos ficar dentro da Kombi, ninguém vai me ver.

7

NA ZONA BOÊMIA

Passava das 11 da noite; em épocas normais, a Rua Guaicurus deveria estar muito movimentada, pois era uma quinta-feira, mas quando chegamos lá tivemos a impressão de decadência. Mesmo o movimento dos que subiam a escada do Montanhês Dancing ou do Maravilhoso Hotel era pequeno e não havia fila para o quarto 304. Frei Malthus estacionou do outro lado da Rua Guaicurus, em frente ao Montanhês Dancing, e o luminoso a néon jogava sua luz sobre a Kombi; na hora a orquestra tocava um bolero, uma voz feminina cantava:

"Cuando se quiere deveras
como te quiero yo a ti
es imposible, mi cielo,
tan separados vivir..."

O Santo ficou calado escutando o bolero e tirou o cheque de Hilda Furacão do bolso do hábito e cheirou.
— Toda a verdade do mundo está é nos boleros — disse.
— É lindo, não? E após pedir um cigarro: — Você já foi ao quarto dela, não é?
— Muitas vezes.
— E como é? Tem um São Jorge na parede?
— Não.
— E a luz difusa do abajur lilás tem?
— Tem.
— Em que andar fica o quarto dela?
— No terceiro. É o quarto 304, mas é geminado com o 303. Privilégios da deusa da Zona Boêmia.
— Pelo amor de Deus, não fala assim.
— Desculpe.

— Eu queria te fazer uma pergunta. Você responde com toda a sinceridade?
— Respondo.
— Você já... você já teve... relações com ela?
— Não.
— Sinceramente?
— Sinceramente.
— Que bom! Eu iria ficar muito aborrecido se você tivesse tido qualquer coisa com ela. Todos os homens do mundo, sim, mas você e Aramel, não, porque vocês são os irmãos que eu nunca tive.
— Ela mesma é que pediu para que eu jamais a procurasse como os homens a procuram. Foi quando a entrevistei pela primeira vez.
— Eu já não dormia pensando nisso. Na Serra da Piedade fiz a mesma pergunta a Aramel e ele também disse que não. Sabe o que me dá vontade de fazer agora?
— Sei. Mas não deixarei você fazer. Será um escândalo. Vão reconhecê-lo e toda a cidade vai saber que o Santo esteve no quarto de Hilda Furacão.
— Mas você vai comigo...
— Não, nem assim.

8

Ainda na Zona Boêmia

Estranhou o pequeno movimento e o fato de não haver a tão falada fila de homens na escada do Maravilhoso Hotel. Só um ou outro subia e os que iam para o Montanhês Dancing eram a maioria.
— Por que será que hoje não tem fila?

— É a crise. Ela disse que a crise está afetando até o movimento do quarto 304. A inflação do Jango e o temor dos coronéis por causa da reforma agrária.
— Só queria dizer o quanto sou grato a ela.
— Não faltará ocasião. Hoje, não.
— Às vezes penso que foi Deus quem a mandou. Disfarçou-a de Diabo e mandou-a para me salvar. Porque ela abriu meus olhos. Me ensinou a ver o mundo de outra maneira. Ela me ensinou o que é a piedade e a verdadeira compaixão humana. Está vendo aquele gato que atravessa a rua? Amo aquele gato e amo a mulher bêbada que vem vindo para cá e amo os operários e as prostitutas e os simples e os que nada têm e eu quero mudar o mundo. Então eu queria dizer isso a ela. Recebi uma carta linda de Dom Hélder Câmara em resposta à carta que mandei para ele. Dom Hélder escreveu: "Você é um bem-aventurado e terá o reino dos céus".

9

Envolvendo Maria Tomba Homem

Escutamos sirenes e, como por encanto, a Rua Guaicurus se povoou, todos correndo para a esquina com a Rua São Paulo, diante do Restaurante Bagdá. As radiopatrulhas chegavam com as sirenes ligadas e uma bomba de gás lacrimogêneo explodiu para os lados do Arrudas; vieram gritos de lá.
— É melhor a gente dar o for — falei. — Deve estar havendo uma bruta confusão. Os rapas devem estar tentando prender Maria Tomba Homem.
— Coitada. Não deixarei que a prendam!
— Fique tranquilo, Tomba Homem sabe se cuidar sozinha. Nem quatro guarnições da radiopatrulha conseguem prendê-la.

Nova bomba de gás lacrimogêneo explodiu, dessa vez na Rua Guaicurus, e sentimos o efeito nos olhos, que começaram a lacrimejar. Teve início então uma gritaria enorme e ininteligível.

— Jogaram a bomba em Maria Tomba Homem?
— Só pode ser.
— Vamos lá ver — e ele seguiu com a Kombi.

Quando chegamos na esquina de Guaicurus com Rio de Janeiro, rodando devagar na Kombi porque havia muita gente na rua, vimos Maria Tomba Homem encostada num muro, cercada por oito ou mais soldados armados de cassetetes, revólveres e as bombas de gás lacrimogêneo nas mãos; um soldado sacou o revólver, apontou para Maria Tomba Homem e gritou:

— Encosta no muro com as mãos na cabeça senão eu atiro, Tomba Homem!

Então Frei Malthus desceu da Kombi e com seu hábito de dominicano esvoaçando ao vento tomou a frente de Maria Tomba Homem e gritou para o soldado:

— Abaixa essa arma, em nome de Deus!
— É o Santo — disse Maria Tomba Homem e caiu de joelhos a seus pés. — É o Santo, obrigado meu São Jorge!

A multidão começou a aplaudir e a gritar:

— Viva o Santo! Viva o Santo!

O soldado abaixou o revólver e o guardou no coldre e eu desci da Kombi exibindo minha carteira de jornalista.

— Maria fica sob minha guarda — disse Frei Malthus aos soldados; sem aguardar resposta, apressou-se:

— Venha comigo, Maria, venha.

Entramos na Kombi e Frei Malthus deixou a Rua Guaicurus na contramão e rodamos com Maria Tomba Homem pela cidade.

— Santo — não cansava de dizer Maria Tomba Homem. — Foi meu São Jorge guerreiro que mandou o Santo me salvar.

Já de madrugada, Frei Malthus parou a Kombi diante do Maravilhoso Hotel.

— Agora você desce, Maria — disse. — Vai com Deus, Maria.

Maria Tomba Homem agarrou a mão do Santo, pondo-se a beijá-la:

— O que é que eu faço, Santo, pra mode agradecer?

— Você vai agora no quarto 304, bate na porta, Maria, e conta a Hilda tudo que aconteceu. Posso confiar?

— Palavra dada a um Santo.

10

É Lá Que as Coisas Acontecem

Entrementes, palavra tão amada pelos escritores clássicos e banida de meu dicionário, colocada no meu índice de copidesque, entrementes, repito só pelo prazer de repeti-la, Aramel, o Belo, e Gabriela M. contemplavam as luzes de Belo Horizonte, visíveis à noite da Serra da Piedade; eram luzes que tremeluziam e pareciam prometer loucuras e felicidades nunca antes vividas nem sonhadas; vendo uma Belo Horizonte que parecia feita de encantamento, Gabriela M. suspirou e disse:

— É lá que as coisas acontecem.

Fazia vários dias e noites que estavam na Serra da Piedade e o que mais aguardavam era a chegada da noite para poderem ficar contemplando as luzes de Belo Horizonte.

— Gabriela, deixa de lero. Não é em Belo Horizonte que as coisas acontecem.

— É onde então, seu sabichão? — disse Gabriela M. que, a cada dia, passava da impaciência à irritação.

— É na América, Gabriela — disse Aramel, o Belo. — É lá que as coisas acontecem.

— Estou por aqui com essa América — falou Gabriela M., passando a mão com uma faca no pescoço. — Por aqui, entende? E só queria saber de você, Aramel, uma coisa: quanto tempo mais vamos ficar aqui mofando?

Nem parecia a Gabriela M. que ele conheceu (lembram-se, leitores?) quando era uma ninfeta, mal saída dos 16 anos, perdida de amor pelas crônicas do gordo Emecê; os primeiros dias na Serra da Piedade, conforme o relato pormenorizado que Aramel, o Belo, fez a este escriba dias depois, foram de lua de mel e de tranquilidade; mesmo porque passara o susto com a caça que o Tarzã de avenida, o da camisa furadinha, estava fazendo em nome de Antônio Luciano, e saber-se protegidos tranquilizava-os muito. Mas com o passar dos dias e a visão das luzes de Belo Horizonte à noite prometendo o paraíso, o encanto foi acabando e começaram a achar que os que subiam a Serra da Piedade para pagar promessas eram espiões de Antônio Luciano; como alguns dormiam acampados na serra, perderam a paz, e isso só fez crescer o mau humor de Gabriela M. Em várias ocasiões, Frei Rosário teve que separar as brigas dos dois. Uma noite, contemplando as luzes de Belo Horizonte, Gabriela M. perguntou pela milionésima vez:

— Então, Aramel, quanto tempo mais vamos ficar mofando aqui?

Como Aramel, o Belo, nada respondesse, ela anunciou:

— Já tomei uma decisão. Aliás, já tomei duas decisões.

— Quais são, amor?

— Não me chama de amor, Aramel.

— Mas fala: o que você decidiu?

— Primeiro: amanhã volto para Belo Horizonte. Segundo: amanhã mesmo procuro o Dr. Luciano.

A meu pedido, Aramel, o Belo, reconstituiu o diálogo dos dois, que anotei em meu diário e reproduzo agora:

Ele: — Você ficou biruta, Gabriela!

Ela: — Biruta? Não. Vou procurar o Dr. Luciano e vou ter uma filha dele. E minha filha vai ser a filha do homem mais rico do Brasil e vai ter tudo que não tive e vai fazer tudo que não fiz na merda da minha vida. Minha filha vai ter money, entende? Money. Muito money.

Ele (tentando acalmá-la): — Money eu vou ganhar na América.

Ela: — Que mané América! É mais fácil um elefante voar do que você conseguir uma merda qualquer em Hollywood ou América, como você fala.

Ele: — Você está nervosa, Gabriela.

Ela: — Que mané nervosa. Você sabe o que passei na vida? Sabe o que é ver um pai chegar bêbado toda noite e começar a espancar a mãe da gente? Sabe o que é uma mãe se esfolando viva pra educar a filha? Sabe o que é uma mãe passando fome pra dar um pedaço de pão à filha? Passando fome pra dar um vestidinho à filha? Pra dar um sapato à filha? E no dia em que meu pai morreu ela ainda chorou, coitada, e sentia saudade de quando ele chegava com aquele bafo de cachaça. Sei disso tudo, Aramel, e a minha filha não vai viver como eu vivi. A minha filha vai ter um pai muito rico. Dane-se se sua mãe entregou-se ao gavião número um do Brasil. Dane-se. Um dia, minha filha vai conhecer Oropa, França e Bahia, aí — Gabriela M. começou a chorar —, ela vai entrar num transatlântico de luxo como o que vi no cinema quando era menina e falar assim: Eu não sou eu, eu sou a desgraçada da minha mãe que se fodeu para eu navegar por mares nunca dantes navegados!

Na hora, como Frei Rosário contou a Frei Malthus, Aramel, o Belo, deu um tapa na cara de Gabriela M. e ela gritou:

— Estou cheia de você, Aramel! Cheia! Porque você é o que eu sempre fui na vida: um fodido!

11

Marlon Brando que Se Cuide

Gabriela M. cumpriu o que prometeu: entregou-se ao vilão desta história e ficou grávida; Aramel, o Belo, embarcou para a América, como dizia, depois de sofrer muito, porque realmente amava Gabriela M. Para conseguir comprar sua passagem para os EUA, Frei Malthus telefonou pela primeira vez para Hilda Furacão usando o telefone secreto dela, e cujo número forneci; pediu que fosse ao Convento dos Dominicanos e explicou a situação de Aramel, ameaçado ainda pelo Tarzã de avenida que não deixava de persegui-lo; Frei Malthus conseguiu não apenas a passagem de avião: conseguiu mais 2 mil dólares para Aramel levar e enfrentar os primeiros dias na América. Na véspera da viagem a bela B., que já não era uma cozinheira tão desastrada quanto na sua estreia, fez uma feijoada para Aramel, o Belo; sob o efeito da cachaça vinda de Santana dos Ferros, ele fez uma confissão:

— Um dia, quando vocês olharem para o céu de Belo Horizonte e uma chuva de dólares começar a cair, não se espantem. Vou ficar tão rico na América, mas tão rico, que chegarei aqui no meu avião particular, como o que Marlon Brando e Paul Newman têm, e como um Deus farei cair uma chuva de dólares sobre a cidade, de maneira que resolva o problema de quantos estiverem com a corda no pescoço.

Quando fomos levar Aramel, o Belo, ao aeroporto da Pampulha, de onde ele seguiria para o Rio de Janeiro e, então, voaria para a América, convocamos todos os amigos e organizamos um grande bota-fora; levamos faixas que diziam:

"Marlon Brando que se cuide: vem aí Aramel, the beautiful".

"Paul Newman era uma vez: é hora de Aramel, the beautiful."

Reunimos umas 12 pessoas no bota-fora de Aramel e se Hilda Furacão não tivesse que atender ao coronel baiano, o rico produtor de cacau que insistia em levá-la para Ilhéus e lhe dar uma casa em frente ao mar, também teria ido. Quando entrou no avião da Panair do Brasil, Aramel ficou acenando

da porta, imitando a pose de um grande astro de Hollywood; nós também acenávamos gritando:
— Adeus, Aramel! Felicidades, Aramel!

12

A Espera da Chuva de Dólares

(Pois é, Aramel, o Belo, sinto muito te dizer adeus, agora que tu, como um filho da tempestade latino-americana, deixas esta narrativa para viver teu sonho de fazer a América; tuas primeiras notícias foram boas, e passamos a acreditar que Marlon Brando e Paul Newman deveriam mesmo se cuidar; de qualquer forma, fizeste uma ponta num filme de Liz Taylor, pouco importa se era uma aparição tão fugaz que mal deu para puxarmos os aplausos no Metrópole, e já tinhas desaparecido da tela; pouco importa se apenas atravessavas o salão de uma festa com uma bandeja nas mãos para servir um sherry a Liz Taylor e que tropeçavas num casal, caindo e quebrando a garrafa e os cálices; pouco importa: acreditávamos que era o começo, difícil como todo começo, mas conseguirias outros papéis, e sofremos muito quando mandaste uma carta contando a que preço conseguiste aquela ponta no filme de Liz Taylor: tiveste que fazer companhia a uma velha alcoólatra de 70 anos que financiava o filme, e como te deprimia o hálito da velhice que sentias quando ela abria a boca mesmo para rir e recusaste um pequeno papel num filme — vejam só — de Paul Newman porque preferias tudo, até a fome em Nova York, para onde foste, a sentir novamente aquele hálito da velhice.

Em Nova York tinhas ainda uma boa parte dos 2 mil dólares emprestados por Hilda Furacão, pois fizeste questão de que fosse um empréstimo; tentaste uma vaga no mitológico Actor's Studio, uma chance para que Elia Kazan pudesse te descobrir como descobriu Marlon Brando; mas nem quando flertaste com a secretária de Kazan conseguiste uma vaga como aprendiz de ator; teu dinheiro acabou e trabalhando como garçon num restaurante, junto de Neville d'Almeida e Tulinho, que queriam ser cineastas na América, tu nos mandaste uma carta, já em janeiro de 1964 — aonde a ação desta narrativa ainda não chega, mas apresso-me em transcrevê-la:

"Nova York, 10 de janeiro de 1964.
Meus irmãos Santo e Roberto:
São 3 horas da madrugada em Nova York e está nevando. Está nevando sem parar e eu estou comendo o pão que o Diabo amassou. Trabalho como garçom num restaurante das 8 da noite às 2 da madrugada e ganho mil dólares por mês, e não sobra nada porque no pouco tempo que passei com a velha em Hollywood fiquei mal-acostumado. Moro num quarto do Greenwich Village, onde mora uma porção de gente como eu, que veio de tudo quanto é canto do mundo, para fazer a América, como eu vim.
Mas hoje, aqui na América, a glória e a fortuna são como um hambúrguer: são pequenas demais, não dão para tanta fome!
Já fui ao Actor's Studio cem vezes e não consegui mais do que namorar a secretária de Elia Kazan.
Meu prazer aqui é ir para o aeroporto e ficar olhando os aviões que vão para o Brasil.
Perdoem a amargura, mas estou sem sono e com saudades do Brasil e de mim.
Um abraço para vocês e um beijo para bela B. Lembrem-se de Aramel.
P.S. Mas volto a prometer: a chuva de dólares vai cair sobre Belo Horizonte; podem aguardar, disso tenho certeza porque

ainda creio, no fundo de meu coração doidivano, que a América é a mãe extremada do mundo."

Tiveste pouco depois, Aramel, o Belo, uma pequena fase de esplendor como motorista de limusine; mandaste até os 2 mil dólares e a passagem de avião que devias a Hilda Furacão, comprovando tua honestidade; depois Aramel, o Belo, mandaste uma carta que a bela B. leu em voz alta para eu e Frei Malthus ouvirmos: falavas de tua nova profissão na América, agora ganhavas a vida lavando cadáveres em Nova York.

— Será que foi aí, Aramel, que tudo aconteceu? Será que foi lavando cadáveres em Nova York que resolveste mudar de vida?

O certo é que, junto com os cadáveres que lavavas, sepultaste de vez Aramel, o Belo, inocente e sofrido rapaz da América do Sul, nascido no interior de Minas Gerais, e nasceu então Pretty Boy, the terrible; lendo a descrição do que fazes, tu, o gângster dos tempos modernos, fico querendo saber como foi mesmo que surgiu Pretty Boy: foi quando sentiste o bafo da onça Teresa na conversa com o vilão Antônio Luciano? Ou, mais exatamente, quando ouviste o que Gabriela M. te disse na Serra da Piedade? Ou quando soubeste, no outro dia, que ela se entregou ao vilão e pouco depois estava grávida dele? Ou surgiste, Pretty Boy, pela soma de tudo isso e pelos sonhos que sonhaste?

É muito difícil acreditar na tua existência, Pretty Boy!

Onde aprendeste a manejar a corrupção, o jogo e a metralhadora?

Onde aprendeste a matar, Pretty Boy?

Minha irmã, Anabela Drummond Lee, que mora em Long Island e que foi quem, logo que chegou aos EUA, passou a abastecer-me com as reportagens dos jornais e das revistas a teu respeito, disse que só acreditaria na tua existência, te vendo — e uma vez ela foi a Las Vegas e te procurou num cassino das mil e uma noites: te mandou um cartão dizendo que era uma moça do Brasil que queria te ver; tu a recebeste em festa, Pretty Boy, ela viu: eras mesmo tu, mas teu português, antes com um forte sotaque mineiro, já estava carregado de sotaque americano; eras tu mesmo e Anabela ficou querendo te perguntar o mesmo que eu te pergunto agora:

— Como foi que aconteceu, Pretty Boy?

Receio que esta narrativa acabe deixando no ar alguns mistérios — o que fazer, Pretty Boy, se são os mistérios da vida? E não posso esquecer o recado que tu pediste a Anabela, em Las Vegas, para me dar:

— Diga àquele pilantra do seu irmão que fique olhando para o céu de Belo Horizonte que, quando ele menos esperar, vão chover dólares.

Outra pergunta, Pretty Boy: por que, como contam os noticiários a teu respeito que chegam ao Brasil, adotas tantas crianças recém-nascidas, desde que sejam do sexo feminino e que os pais concordem em dar a cada menina o nome de Gabriela? É uma vingança, Pretty Boy? Ou aí também está uma pista ou chave do teu mistério — será que não queres, Pretty Boy, que elas se vendam na América como Gabriela se vendeu no Brasil?)

13

Revisitando o General e a Rosa

Tia Çãozinha deve estar dizendo agora:

— Que decepção! Esperava que estivesse chegando a hora, tão aguardada e adiada, de acontecer alguma coisa entre Hilda Furacão e Frei Malthus!

E sem esconder uma ponta de irritação:

— Até quando vai durar esse chove não molha?

Mas é exatamente uma inquietante carta, que naquela época recebi de Tia Çãozinha, que leva este narrador a deixar para mais adiante os emocionantes lances ligados a Hilda Furacão e Frei Malthus; dito o que, falo da carta de minha querida tia: ela passou a carta inteira comentando o estranho mal que atacou Joli, o muito amado e inseparável cachorrinho de estimação de Tia Ciana, ele que tem status — vocês hão de estar lembrados — de membro da família; Joli estava há vários dias sem comer, recusava o estrogonofe tão amado, a canja de galinha, e ganhou uma tristeza estranha que constratava com seu temperamento alegre e serelepe.

Tia Çãozinha perguntava na carta:

"Acaso foi algum amor não correspondido por uma dessas cadelas que andam pelas ruas de Santana dos Ferros tentando virar a cabecinha do primeiro cão inocente que encontram?"

O pobre Joli já não saía de casa feliz como antes, já não acompanhava Tia Ciana nas vigílias na igreja matriz, ele, pobrezinho, que aprendeu a entrar de costas na igreja, como Tia Ciana ensinou, para não ver o Adão nu; e não parecia dor física, parecia dor na alma — que Tia Ciana é capaz de jurar: Joli tem alma; e no olho esquerdo do pobre uma lágrima cai de minuto em minuto, e Joli é, por certo, o único cão do mundo que consegue chorar.

Como em Santana dos Ferros só de vez em quando aparecia veterinário, assim mesmo para cuidar de bois e vacas, e nenhum dos três médicos aceitou receber Joli como paciente, e o ônibus de Santana dos Ferros aceita transportar pato, marreco, galinha, peru, aceita até leitões, sem falar em papagaios, mas discrimina os cachorros, Tia Ciana decidiu alugar o jipe do Lourival e viria a Belo Horizonte trazendo Joli para fazer uma consulta; e daí é onde eu entrava: Tia Ciana pedia que eu marcasse para a segunda-feira, dia 12 de dezembro, às 2 da tarde, uma consulta com o melhor veterinário de Belo Horizonte para atender Joli — o que, aliás, fiz com presteza, pois durante o tempo em que morei debaixo do mesmo teto que Joli, dividindo nós dois os cuidados de Tia Çãozinha e de Tia Ciana, ele era um amigo de todas as ocasiões, chegando a fugir comigo durante a noite; outro cão que não Joli faria um enorme escândalo ao ver-me pular a janela e acordaria minhas queridas tias, que, na hora, deviam sonhar com uma aparição da Virgem Santíssima — mas Joli não, era meu cúmplice, ia para a boemia comigo e eu passei a embebedá-lo, transformando-o quase num alcoólatra, levando Tia Ciana a estranhar:

— Engraçado, Çãozinha, se Joli não fosse um cão incorruptível, eu ficaria com o pé atrás. Joli anda com um bafo de cachaça danado!

Foi no P.S. número um que Tia Çãozinha começou a inquietar meu aflito coração: revelou que Tia Ciana, depois de liderar as campanhas da família que reza unida permanece unida, agora, mesmo tendo que deixar o pobre Joli em casa, estava organizando as campanhas da Marcha com Deus, pela Família e a Liberdade, com adesões jamais vistas, e anunciava:

— Só vamos descansar quando escorraçarmos o comunista João Goulart para a Rússia ou os confins do Judas!

Ora, daí minha inquietação; se para o bem ou para o mal um sentimento qualquer empolga Santana dos Ferros é sinal de que empolga todo o Brasil. Como se não bastasse, Tia Çãozinha acrescentou o P.S. número dois no qual dizia que meu Tio José Viana — que apareceu no início desta narrativa evitando que Tio Asdrúbal levasse à minha mãe a sugestão para deserdar o filho comunista, mandava um recado para mim; leiam:

"Zé Viana esteve aqui ontem trazendo um queijo que sua Tia Lúcia mandou para nós. Estava fungando muito, como fica quando assustado e nervoso, e contou que está comprando armas para resistir à reforma agrária do Jango, e já comprou

até uma raça de boi que ataca todo invasor de terra. Pois seu Tio Zé Viana disse:
— Çãozinha e Ciana, a coisa tá preta. Vem revolução por aí!"

O recado de meu Tio Zé Viana era para que ficasse tranquilo: quando começasse a caça aos comunistas e eu tivesse que fugir da polícia, ou pior ainda, tivesse que fugir do Exército brasileiro quando Jango fosse derrubado pelas armas, ele, Zé Viana, já tinha um esconderijo para mim, muito seguro, onde a polícia ou o Exército só chegariam se pudessem voar; não de avião ou de helicóptero, mas com asas, como os pássaros; e acrescentava Tia Çãozinha:

"Como Zé Viana sabe que Beatriz é moça rica, acostumada com conforto, disse que pensou até nesse detalhe, no que toca ao esconderijo de vocês, quando começar a caça aos comunistas."

Ora, fiquei um tanto assustado e decidi ir à casa de José Aparecido para ver se o comandante da ID-4, o General Guedes, ainda cuidava de suas rosas no jardim; subi à sacada de José Aparecido e esperei — antes das 6 da tarde o General Guedes, em manga de camisa (a calça e a camisa de militar, diga-se, como sempre), apareceu no jardim com sua enorme tesoura na mão e pôs-se tranquilamente a cuidar das rosas, enquanto Jose Aparecido gritava ao telefone:
— Arraes, está me ouvindo, Arraes?
Esperei que o General Guedes cumprisse seu ritual de podar uma rosa vermelha e levar para casa e vim embora, dizendo a mim mesmo:
— Bobagem, estou vendo fantasma! O Arraes é que tem razão: enquanto um general estiver cuidando das rosas a gente pode dormir tranquilo.
E só não dormi tranquilo porque, tendo passado a insônia e o medo de morrer, meu recém-instalado telefone tocou de madrugada.

14

Agora eu Não Posso Falar

Fui atender ao telefone: era Frei Malthus.
— Aconteceu — ele disse, com a voz baixa e misteriosa.
— O que eu mais temia e mais desejava aconteceu.
— Mas o que foi que aconteceu, Santo?
— Agora eu não posso falar.
— Como não pode falar? Você me acorda às 2 da madrugada, me tira da cama e do bem-bom ao lado da bela B. e diz que não pode falar?
— Entenda o momento grave que estou vivendo!
— Que momento grave, Santo?
— Estou na fronteira entre o inferno e o paraíso.
— Mas afinal o que aconteceu?
— Não posso falar agora, já disse.
— É o que eu estou imaginando?
— O que você está imaginando?
— Que entre você e a ...
— Pelo amor de Deus, não fala que a bela B. não pode suspeitar de nada e nem saber o que aconteceu.
— Mas o que aconteceu?
— Passa hoje de manhã no Convento que eu te conto.

15

Foi a Vidente Quem Disse: "Procure-o e Diga que o Ama"

Fumando desesperadamente, caminhava pela sala no Convento dos Dominicanos; segurava o cigarro com a falta de jeito de quem está começando a fumar ou como é próprio de um Santo:

— Ela chegou sem avisar que vinha. E entrou sem avisar que ia entrar. E ficou ali, de costas para a porta que ela mesma fechou e olhou para mim com uns olhos que eu hoje sei, Deus meu, são os olhos de um anjo, um anjo que apenas cumpre a penitência de carregar a cruz no mundo. Olhou como se eu tivesse culpa de tudo de ruim que aconteceu com ela. Olhou e ao mesmo tempo que me tentava, me acusava. Pensei: ela vai chorar. Então eu disse:

— Já que você entrou, não quer sentar?

— Não, obrigada — ela disse, e ficou encostada na porta, como se temesse que, mesmo estando fechada à chave, alguém pudesse entrar. E então perguntou:

— Sabe por que eu vim aqui?

— Não posso imaginar — respondi.

— Eu vim não foi nem porque eu te amo. Eu vim não foi nem porque eu agradeço a Deus a penitência que recebi, a cruz que eu carrego, e sim porque eu descobri o amor que sinto por você, é um amor tão grande que não precisa ser correspondido para ser um amor feliz. Porque o amor que eu sinto por você basta por si só.

— Então por que você veio?

— Vim porque fui procurar a vidente Madame Janete.

— Você acredita em vidente?

— Acredito. E Madame Janete me disse: assim como uma vez eu previ que você ia sofrer mais do que a Gata Borralheira porque sua madrasta seria a vida, assim como previ que, para encontrar o seu príncipe encantado, você precisava estar sofrendo muito, e você sofreu, assim como eu previ que você ia perder o pé do seu sapato, e você perdeu, assim também eu vou te dizer quem foi o homem que encontrou o pé de seu sapato e o guardou e que é o homem de sua vida. Então eu disse a Madame Janete: "E quem é ele?" E ela respondeu: "É o menos suspeito de todos. É um que chamam de Santo".

— Isso é chantagem — eu disse a ela. — Foi o Roberto Drummond que traiu minha amizade e contou que o sapato está comigo.
— Não, o Roberto não. E para você não fazer mau juízo de um amigo, te pergunto: alguém sabe onde você guarda o sapato?
— Só Deus sabe.
— Quer dizer que Roberto não sabe?
— Não.
— Pois Madame Janete sabe.
— Como é que ela sabe?
— Você duvida?
— Duvido.
— Pois muito bem. Então abra o cofre de parede que fica escondido atrás daquela reprodução de *As tentações de Santo Antão*, que é dentro do cofre que Madame Janete disse que você guarda meu sapato. Você nega?
— O sapato está realmente comigo.
— E está guardado no cofre?
— Está.
— Muito bem — ela foi falando. — Mas eu só vim porque Madame Janete disse "procure-o e diga que você o ama". Então eu vim aqui dizer que te amo. E vim te fazer, por minha conta e risco, uma proposta que Madame Janete disse que dependia de minha vontade e não dela.
— E que proposta é? — perguntei a ela.
— Eu vou deixar a vida que eu levo no dia 1º de abril de 1964.
— É o dia da mentira — eu falei.
— Eu nasci no dia 1º de abril e você duvida que eu exista? Duvida?
— Não.
— Pois dia 1º de abril de 1964 eu deixo a vida que eu levo. Nem um dia antes, nem um dia depois. E então, porque Madame Janete disse que você me ama e eu sinto agora, te olhando, que é verdade, que você me ama; você nega?
— Isso não vem ao caso — eu disse a ela.

— Como não vem ao caso? Você nega?
— Não nego! — eu disse. — Eu te amo.
— Quer dizer então que você me ama? — ela perguntou.
— Amo como só amo o Cristo. Mas isso não vem no caso.
— Mas não é um amor diferente do amor que você sente pelo Cristo? — ela perguntou.
— É — eu respondi. — Mas o que você queria propor?
— Que no dia 1º de abril de 1964, quando eu deixar a vida que vivi durante cinco anos de penitência, você deixe o hábito que você usa também há cinco anos e que a gente se case e vá viver juntos.
— Mas eu sou um frade dominicano dedicado a servir ao Cristo — eu disse a ela.
— Mas não deixará de servir ao Cristo depois. Deixará? — ela disse, olhando para mim com aquele olhar que me acusava de tudo que ela vem sofrendo na vida e que era um olhar muito lindo e triste. — Você deixará de servir ao Cristo?
— Não. Mas eu sou um frade dominicano, não tenho profissão, não tenho onde cair morto.
— Eu vou viver com você até debaixo do viaduto ou de uma ponte no Arrudas e aí o mau cheiro do Arrudas vai ser um perfume para mim. Vivo com você até numa favela se você quiser fazer voto de pobreza e aí a fome que eu sentir ao seu lado vai ser a minha canção.
— Pelo amor de Deus, cale-se — eu disse a ela.
— Você tem medo da fome? — ela perguntou, ainda me olhando daquele jeito. — Pois, se você não se importar, eu vou dizer: nesses cinco anos eu me tornei uma mulher rica. Eu não preciso trabalhar para viver. Então, até você começar a trabalhar, porque você pode dar aulas, não pode?, não passaremos fome alguma e teremos todo conforto. O que você me diz?
— Que eu te amo, mas estou a serviço de Jesus Cristo e isso me impede de aceitar sua proposta.
— É uma resposta definitiva? — ela perguntou e aí os olhos dela, como para me tentar, saíram do triste para o alegre, para o

feliz, e ela não me deixou responder, ela é quem disse: — Você tem até a meia-noite do dia 31 de março de 1964 para me dar uma resposta — e abriu a porta e foi saindo do mesmo jeito que entrou, e só deixou o perfume Muguet du Bonheur, que se você respirar profundamente, ainda vai sentir aqui dentro desta sala, e que eu quero sentir, oh Deus meu, ainda que minha cabeça estoure de dor.

16
O QUE DONA NHANHÁ VAI PENSAR?

— E você, Santo — perguntei após ouvir o relato. — O que você realmente vai decidir até a meia-noite do dia 31 de março de 1964?
— Não sei, juro que não sei — respondeu. — Depois tem uma coisa: o que Dona Nhanhá vai pensar, coitada? Minha mãe me educou, você sabe, para ser um Santo. E o que vai acontecer com ela quando souber que eu deixei o hábito de frade dominicano para casar com Hilda Furacão?
— Bom, você ainda tem até a meia-noite do dia 31 de março de 1964 para pensar.
— Num momento como o atual, quando, mais que nunca, o Brasil está à beira do abismo, não tenho o direito de colocar meu coração acima dos interesses de uma causa e dos interesses da Igreja de Cristo. Ah, o que eu não daria para poder conversar com Dom Hélder Câmara!
E voltando a andar nervosamente pela sala parou diante da reprodução de *As tentações de Santo Antão*; depois, foi lá dentro, trouxe uma lata de geleia de jabuticaba, colheres e dois pires, num dos quais se serviu, e estendendo o outro, disse:

— Experimente essa geleia e me responda: quando você prova a geleia da Dona Nhanhá, você, que é comunista e ateu, não acredita em Deus?

— Comendo o pastel de Dona Nhanhá acredito em Deus — brinquei.

— Esqueci de contar um detalhe: antes dela sair, eu disse: "O Brasil vive um momento muito delicado, tenho compromissos com o povo... e foi você quem abriu meus olhos, foi você quem me fez descobrir o povo e os trabalhadores do Brasil. Foi você".

17

Uma Disputa com Jesus Cristo

No fim da tarde, Hilda Furacão esteve na redação da *Alterosa*; fomos conversar na sala de reunião:

— Cê já sabe de tudo, né? — e como eu confirmei: — Procê ver, a minha disputa é a mais desigual do mundo: eu disputo meu amor com Jesus Cristo!

Disse que, antes, nunca tinha amado um homem na vida, não teve primeiro amor, não teve amor algum, só sentiu amor por Frei Malthus quando o viu na Noite do Exorcismo e pensou: Hilda, você nasceu no dia errado, nasceu no dia da mentira, mas aí está, diante de você, a sua verdade: esse frade é o homem da sua vida, certamente você nunca o terá, mas ele é sua única chance de amar alguém porque, fora ele, nada de bom acontecerá na sua vida; disse que nunca soube o que é prazer sexual, fez os homens subirem pelas paredes e conhecerem o paraíso, mas o seu paraíso ela nunca encontrou. Disse: você faz as contas para ver, um mínimo de trinta homens por dia, menos às segundas-feiras, a partir das 3 da tarde, sendo que uma vez 77 homens passaram pelo quarto 304; faça as contas: 12 mil homens, 15 mil, 20 mil homens, é bem possível, e nunca senti nada, eu fingia, beijos fingidos, orgasmos fingidos, alegria fingida; acrescentou: sua única chance de saber o que uma mulher sente quando faz amor com o homem que ama era ganhar a disputa com Jesus Cristo.

— O que você vai fazer agora, Hilda? — perguntei.

— Vou precisar de sua ajuda: vou dar uma entrevista coletiva anunciando que no dia 1º de abril de 1964 deixo o quarto 304 do Maravilhoso Hotel, deixo a Rua Guaicurus e deixo de vez a vida na Zona Boêmia.

18

É UM 1º DE ABRIL?

Quando Hilda Furacão deu a entrevista coletiva no quarto 304 do Maravilhoso Hotel, na Rua Guaicurus, Belo Horizonte estava particularmente agitada; na véspera, o ex-deputado Leonel Brizola tinha sido impedido de falar no Congresso da Cutal, na Secretaria da Saúde, e os soldados da Polícia Militar, que deviam garantir sua fala, apoiaram os manifestantes, as rezadeiras comandadas por Dona Loló Ventura e grupos paramilitares, incluindo coronéis fazendeiros do interior que, à noite, acabados os conflitos, com vários feridos e muitos tiros e explosões de bombas de gás lacrimogêneo, foram comemorar a vitória contra Brizola no Montanhês Dancing e no quarto 304 do Maravilhoso Hotel.

Enquanto aguardavam Hilda Furacão no quarto 304, onde este narrador estava como amigo da entrevistada, os repórteres só falavam nos acontecimentos da véspera no Congresso da Cutal, no fato de Brizola não conseguir sequer entrar na

Secretaria da Saúde; todos falavam também na chegada a Belo Horizonte de Juanita Castro, a irmã de Fidel Castro exilada em Miami e que veio falar sobre a "cubanização" do Brasil; na mesma hora em que Hilda Furacão começou a falar aos repórteres, longe da Zona Boêmia, na sede da Camde (Campanha da Mulher pela Democracia), presidida por Dona Loló Ventura, Juanita Cardoso também dava uma entrevista coletiva; começou alertando todos com relação ao Congresso da Cutal (Central Unida dos Trabalhadores da América Latina) e contra a presença de um líder sindical comunista cubano, Lázaro Peña:

— Yo lo conosco desde la palma y es un comunista muy peligroso.

Mas, no outro dia, mesmo com o clima de pré-levante contra o governo João Goulart, os jornais deram mais destaque à entrevista de Hilda Furacão do que a de Juanita Castro; as manchetes diziam:

"Hilda Furacão anuncia
adeus no 1º de abril"

Começaram as especulações:
— Hilda, por que exatamente o dia 1º de abril, que é reconhecidamente o dia da mentira, e não o dia 31 de março, por exemplo?

Já como suíte à entrevista, os jornais falaram na história do sapato da Cinderela e na previsão da vidente Madame Janete, e, enquanto não aparecia quem encontrou o sapato perdido na Noite do Exorcismo, o suspeito era o jovem herdeiro de um milionário criador de zebus no Triângulo Mineiro, um fazendeiro de Uberaba. Os jornais publicaram fotos de quando Hilda Furacão era a Garota do Maiô Dourado e tirava o sono dos frequentadores das missas dançantes do Minas Tênis Clube, e chegaram a uma conclusão: ela estava tão bonita quanto antes.

Logo surgiu uma suspeita: Hilda Furacão planejava se mudar para uma fazenda que tinha no Mato Grosso; os repórteres perguntaram:

— Hilda, você não tem medo da reforma agrária do Presidente João Goulart?

Escandalizou os coronéis fazendeiros que a conheciam ao responder:

— Sou a favor da reforma agrária. Se o Dr. Jango quiser, pode começar por minha fazenda.

Entre os bens de Hilda Furacão divulgados pelos jornais estavam, além da fazenda no Mato Grosso: 22 lotes na Pampulha, região muito valorizada; 6 apartamentos alugados em Belo Horizonte, sendo 3 no bairro de Lourdes, 2 nos Funcionários e 1 no Santo Antônio, todos com 4 quartos e muito valorizados; 1 apartamento na Avenida Atlântica, no Rio de Janeiro, no posto 5; 6 táxis na praça em Belo Horizonte; uma casa, não se sabia em que rua, na Cidade Jardim, autêntico palacete. Hilda Furacão não desmentiu as notícias.

19

Perguntas sem Respostas

— Por que Hilda Furacão decidiu deixar a vida na Zona Boêmia no dia 1º de abril e não no dia 31 de março?

— Por que Hilda Furacão negou-se a confirmar se realmente estava para casar com o filho de um poderoso criador de zebu do Triângulo Mineiro?

— O que Hilda Furacão queria, anunciando que deixaria a vida que levava no dia 1º de abril de 1964:

a) Realmente contar a verdade?

b) Reativar o movimento na Zona Boêmia, que estava às moscas?

c) Fazer sensacionalismo para aparecer nos jornais e na televisão como apareceu?

d) Provocar ciúme em algum homem que não tenha aparecido no noticiário dos jornais?

20

Tiro ao Alvo

Na esquina da Rua Guaicurus com São Paulo, ao lado do Restaurante Bagdá, havia um tiro ao alvo muito frequentado e a campeã era Hilda Furacão; quase todos os dias, depois do almoço (este era o seu passatempo preferido), ia dar tiros; uma tarde, quando os jornais faziam interrogações a seu respeito ao mesmo tempo em que escreviam editoriais contra a comunização do Brasil pelo governo João Goulart, Hilda Furacão bateu o recorde: acertou vinte tiros ao alvo.

Mas não foi só ali que Hilda Furacão acertou; se realmente queria movimentar a noite da Rua Guaicurus conseguiu: voltou a fila para o quarto 304 e como consequência todos os hotéis ficavam cheios, inclusive os coronéis do interior voltaram, porque, afinal, poderia mesmo ser verdade que Hilda Furacão ia deixar aquela vida no dia 1º de abril de 1964; e havia um outro sentimento que os empurrava para os braços encantados de Hilda Furacão:

— E se essa reforma agrária do Jango for aprovada e cada coronel ficar pobre da noite para o dia?

Outros se interrogavam:

— E se começar uma revolução muito demorada e sangrenta e morrerem sem poder amar Hilda Furacão?

21

O Último Cartucho

Hilda Furacão sabia — e não era por acaso que a maior admiração de sua vida era Dona Beija, a estrategista número um nas artes do amor — que estava queimando seu último cartucho com o Santo; sim, e por falar nele: o que ia fazer? É bem verdade que, além de ter aumentado o consumo da geleia de jabuticaba, recorria a Santo Antão, autoflagelava-se, chicoteando o próprio corpo, e se engajava mais e mais na luta social com a JOC, a ponto de, num discurso preparatório da marcha com Deus pela Família e a Liberdade, Dona Loló Ventura ter feito uma denúncia:

— O comunismo ateu e anticristão infiltrou-se até na Igreja de Deus e sinto informar que aquele a quem tínhamos na conta de Santo bandeou para o outro lado, caiu de vez no canto de sereia da comunização e da "cubanização" do Brasil.

22

Mas... e o Santo?

Sim, o que ia fazer o Santo com relação a Hilda Furacão?

Deixemos que ele pense porque, na verdade, ainda tem até a meia-noite de 31 de março de 1964 para se decidir.

SEIS

O

A Rosa Sim, o General Não

No dia 31 de março de 1964, Belo Horizonte amanheceu ocupada por tropas militares; quando deixei meu apartamento na Rua Rio Grande do Norte para comprar pão na padaria Savassi, um tanque do Exército vinha pela Avenida Getúlio Vargas; lembrava um imenso inseto verde e, na esquina da Getúlio Vargas com Cristóvão Colombo, indiferente ao sinal, que fechou para os mortais comuns, dobrou à direita e, aplaudido por uma senhora de cabelos oxigenados, seguiu na direção do Palácio da Liberdade. Já na fila do pão ouvi o que parecia ser boato, mas mais tarde foi confirmado: o Governador de Minas Gerais, Magalhães Pinto — dono da revista *Alterosa*, onde eu era o editor, e que parecia ligado a Jango — rebelou-se contra o mesmo Jango, com o apoio das guarnições do Exército em Belo Horizonte e em Juiz de Fora e da Polícia Militar de Minas; todos os pontos estratégicos estavam ocupados por tropas militares — de volta a meu apartamento, com o pão quente para o café da manhã, disse o que vi à bela B. e ela foi até a janela que dava para a Rua Rio Grande do Norte; chamou:
— Vem ver!
Uma fila de caminhões do Exército carregando soldados seguia para a BR-3 em direção ao Rio de Janeiro; os boatos aumentaram no correr do dia, o Governador Magalhães Pinto

colocou no ar a Rede da Liberdade, nas rádios e na televisão, e nomeou um secretariado com status de ministério; exigia a renúncia do Presidente João Goulart. Começaram a falar nas primeiras prisões — por volta das 3 da tarde fui ao Banco Nacional, como de costume, dessa vez para saber de Eduardo Magalhães Pinto o que realmente estava acontecendo.

— Começou a revolução para derrubar o Jango. Papai é o general civil da revolução — disse. — Você não é a favor?

— Não — respondi.

— Mesmo sendo contra, aparece à noite no Palácio da Liberdade para ver a movimentação.

Deixei o Banco Nacional na Rua Carijós, perto da Praça Sete, tomei um cafezinho no Pérola e fui andando a pé até a redação da revista *Alterosa*; corria o boato de que José Maria Rabelo, diretor do *Binômio* que tinha dado um murro na cara do General Punaro Bley, tinha sido preso. Na *Alterosa*, quase todos éramos considerados suspeitos e corríamos o risco de sermos presos — muito exaltado, o repórter Ponce de Leon dizia:

— O Magalhães está fodido! O Jango vai foder com ele e essa cambada de generais gorilas!

Era o que eu acreditava também.

No fim da tarde, fui à casa do deputado José Aparecido de Oliveira na Rua Santa Catarina e encontrei tudo ocupado por soldados do Exército que barraram minha passagem:

— Aqui é zona de segurança nacional. Ninguém pode passar.

Mostrei meus documentos de jornalista e disse que precisava ir à casa do deputado José Aparecido e um soldado levou-me até lá; no que entrei, Aparecido gritou do andar de cima:

— Sobe aqui!

Estava, como sempre, de cueca, a barba de ontem, e muito impaciente, sentado num criado-mudo diante do telefone:

— Alô, telefonista. O telefone do Governador Miguel Arraes não atende? Então tenta o Palácio do Governo em Sergipe. Chame o Governador Seixas Dória. Vou aguardar, senhorita.

E virando-se para mim:

— Tem uma hora que estou tentando falar com o Arraes e não consigo. Tentei o Brizola no Rio, em Brasília e em Porto Alegre e também não consegui.

Deitou-se na cama e ficou olhando para o teto:

— Senta aí. Você vai ser testemunha de uma revelação histórica.

O telefone chamou, ele saltou da cama:

— O telefone do Governador Seixas Dória está ocupado, telefonista? Então tenta em Recife, senhorita, o deputado Francisco Julião — e deu para a telefonista um número.

— Vou aguardar, senhorita.

Voltou para a cama e eu disse.

— Soube que você renunciou ao cargo de Secretário do Governo.

— Renunciei por alta divergência, por discordar dessa aventura militar. Ouça uma revelação histórica — eu disse ao Magalhães: ninguém melhor do que o governador para saber os laços de amizade que me ligam ao senhor. Então queria dizer: Governador, honre as tradições históricas e libertárias de Minas e fique ao lado da legalidade, contra esse grupelho militar.

— E o Magalhães, o que falou?

— Disse que era tarde.

O telefone tirou-o novamente da cama:

— Julião? É você, Julião? Não é o Julião? É o Coronel Bezerra? Mas que Coronel Bezerra? Eu quero falar é com o deputado Francisco Julião, das Ligas Camponesas — esperou um pouco, caiu a ligação.

Gesticulando muito, ainda de cuecas, foi até a sacada e olhou, eu também olhei: um tanque do Exército estava estacionado diante da ID-4; disse:

— No primeiro voo rasante que os aviões fiéis do Jango derem sobre o Palácio da Liberdade e aqui em cima da ID-4, eles se escondem debaixo da cama. Essa quartelada não resiste ao primeiro traque que o Jango mandar soltar.

Ali na sacada, conversando com José Aparecido, eu esperava que o Comandante Militar da ID-4, o General Guedes, aparecesse com sua tesoura na mão para cuidar das rosas no jardim; as rosas estavam lá e havia uma rosa vermelha particularmente bonita — mas anoiteceu e o General Guedes não apareceu com sua tesoura.

— É, Aparecido — disse então. — O general não veio cuidar das rosas. Como diria o Arraes, aí a coisa fica grave.

— Esse general de merda vai ter muito tempo para cuidar das rosas na prisão. Você vai ver.

O telefone tocou e Aparecido apressou-se em atender.

— Isso é molecagem! O que fizeram é uma molecagem. Vou falar agora com o Magalhães. Cambada de moleques!

Colocou o telefone no gancho — a mão tremia ligeiramente:

— Invadiram o *Diário de Minas* e prenderam o Guy de Almeida!

O *Diário de Minas* pertencia ao mesmo grupo da *Alterosa*, era também da família Magalhães Pinto, José Aparecido era o diretor-presidente e Guy de Almeida o diretor de redação — e se o prenderam era realmente mau sinal.

— É molecagem, vou falar agora com o Magalhães — pegou o telefone, discou o número do Palácio da Liberdade, identificou-se, esperou um pouco. — Não pode atender. Disse que é o deputado José Aparecido de Oliveira? Hum... — pôs o telefone no gancho e olhou na direção da ID-4. — Se quiserem me prender basta que atravessem a rua. Pelo menos, lhes poupo trabalho.

E ficando subitamente de pé:

— Mas de cueca e barba por fazer eles não vão me pegar.

Fez a barba, escanhoou-se bem, entrou no chuveiro assoviando a *Marselhesa*, disse: "O Jango está demorando a agir", saiu enrolado numa toalha branca, vestiu um terno azul-marinho, a gravata prudentemente cinza (vacilou diante da gravata vermelha de que tanto gostava), penteou-se, perfumou-se, e disse:

— Agora, se quiserem atravessar a rua, estou às ordens — e deu uma gargalhada que ecoou em todo o quarteirão e retumbou no comando militar.

Deixei-o e fui ao Palácio da Liberdade; conversei com Eduardo Magalhães Pinto sobre a prisão de Guy de Almeida:

— Já sei. Estamos tentando libertá-lo. Quanto a você, vou te dar dois telefones aqui do palácio — anotou os números num cartão e me entregou. — Qualquer coisa, você me telefona. E se te prenderem, sua mulher me telefona.

Abaixou a voz, olhou de lado:

— Quem está escondido aqui no Palácio da Liberdade e eles não vão pôr a mão nele é o Ênio Amaral.

Referia-se a um jornalista e militante comunista, que eu conhecia do Partido.

Fui para casa levado pelo motorista particular de Eduardo Magalhães Pinto.

1
Recado a Ernesto Che Guevara

Quando abri a porta do apartamento, a bela B. estava muito assustada:

— A Teo, mulher do Ponce, telefonou: os voluntários que usam uma braçadeira invadiram o apartamento deles e levaram o Ponce preso. E a Teo deu uma notícia terrível; mataram o Zé Maria Rabelo.

Telefonei para a Teo e obtive detalhes da prisão de Ponce de Leon: os rapazes das braçadeiras, que passaram a ser chamados de "braçadinhas", antes de prender o Ponce viraram o apartamento de pernas pro ar à procura de material subversivo, e também invadiram a casa de Celius Aulicus e o prenderam. Ele era conhecido como General desde que assinava no *Binômio* a coluna de humor "O golpe... contra o estado de coisas", com o pseudônimo de General da Banda.

— E o Zé Maria, Teo?

Ela começou a chorar ao telefone:

— Está morto.

— Mas morto como, Teo?

— Dizem que foi um tal de Antônio Américo, você conhece ele? Um fortão, parece um touro, tem um corpo enorme e uma cabeça muito pequena, destoando do corpo.

— Sei quem é.

— Pois foi o Antônio Américo quem prendeu e matou o Zé Maria Rabelo.

José Maria Rabelo tinha sido meu padrinho de casamento, a confirmação de sua morte emocionou muito a mim e à bela B.; fizemos um minuto de silêncio em sua homenagem.

— Temos que agir rápido — disse a bela B.

— Agir como? — perguntei.

— Dar um sumiço em todos os livros comprometedores.

— Você tem razão.

Tiramos da estante quantos livros pudessem nos comprometer e queimamos. Chegou então a hora de retirar da sala do apartamento o pôster de Ernesto Che Guevara: ainda estavas vivo, Che, e diante do pôster em que aparecias fumando um Havana, esse mesmo pôster que viajou pelas paredes do mundo, onde alguém tinha um sonho que inspiravas, nós vacilamos:

— Dá muita pena ter que queimar o pôster do Che — eu disse.

— Mas não precisamos queimá-lo. Podemos tirá-lo da sala e escondê-lo — disse a bela B.

— Esconder onde? — perguntei, tirando o pôster da parede.

— Podemos esconder debaixo da cama.

— Você está doida? Eles vão procurar debaixo da cama e aí é que vai ser pior.

— E se pusermos debaixo do colchão?

— Mas eles vão perceber que o colchão está mais alto e vão descobrir.
— Vamos deixar na parede da sala mesmo — disse a bela B. — A gente fala que é um parente nosso.
— Você enlouqueceu? Você acha que eles não sabem quem é o Che?
— É, que tonta eu sou. Mas o que vamos fazer com ele, então.
— Sinto muito — eu disse.
— Sente muito o quê?
— Sinto muito mas não podemos ficar com o pôster do Che dentro de casa.
— E o que você está pensando fazer?
— Levar o pôster e deixar num lugar escuro.
— Isso não.
— O Che vai entender.
— Será que vai?
— Vai.
— E a gente pode prometer uma coisa — disse a bela B.
— Quando tudo isso passar, a gente consegue outro pôster igual e volta a colocá-lo na parede da sala.
— Ótima ideia — concordei.

Assim, Che, na noite de 31 de março de 1964, numa cidade da América do Sul ocupada por soldados e tanques, um homem e uma mulher saíram de casa procurando dar naturalidade ao fato de que carregavam um pôster embrulhado num jornal e quando encontraram uma rua escura, debaixo de uma árvore, como se fossem um casal de namorados querendo a proteção da escuridão para seus beijos e abraços (e até nos abraçamos e beijamos), deixaram o teu pôster debaixo de uma árvore; a única testemunha foi um gato amarelo que passou e nos olhou com seus grandes e misteriosos olhos.

Mas é hora de ver o que está acontecendo com Hilda Furacão na noite de 31 de março de 1964, no quarto 304 do Maravilhoso Hotel, na Rua Guaicurus, no coração da Zona Boêmia de Belo Horizonte.

2

Apesar dos Tanques nas Ruas

Visto da Rua Guaicurus, na Zona Boêmia de Belo Horizonte, na noite de 31 de março de 1964, o Brasil não parecia estar nos momentos iniciais de um golpe militar para depor o Presidente da República; nem mesmo um tanque extraviado, que passou na Rua Guaicurus por volta das 10 da noite, estragou o clima de uma festa de adeus: a última noite de Hilda Furacão na Zona Boêmia de Belo Horizonte; ao que parece, no fundo do coração, todos sabiam que estavam se despedindo de um tempo inocente simbolizado por uma Garota do Maiô Dourado, transformada em sonho erótico que fazia a alegria dos homens. O clima de emoção estava até nas músicas que a orquestra de Delê tocava na Montanhês Dancing, ao lado do Maravilhoso Hotel — em cuja escada subia a fila dos que queriam se despedir de Hilda Furacão e não se importavam com a espera, nem com o câmbio (o preço foi dobrado); sucessos de anos atrás, boleros de quando Hilda Furacão chegou à Zona Boêmia como a mitológica Garota do Maiô Dourado, eram revividos e os jornais mandaram seus repórteres e fotógrafos para cobrir o momento em que Hilda Furacão, já na madrugada de 1º de abril de 1964, ia dar adeus à Zona Boêmia; radiorrepórteres também circulavam pela Guaicurus; equipes de televisão podiam ser vistas e a Rádio Itatiaia dava flashes; diante do Maravilhoso Hotel, dois mitos dos anos dourados da Zona Boêmia, anos dourados que pareciam estar se acabando naquela noite de 31 de março de 1964, faziam uma espécie de plantão e se confraternizaram, trocando cigarros: Maria Tomba Homem e Cintura Fina — que não queriam perder por nada desse mundo o momento em que Hilda Furacão ia descer pela última vez a escada do Maravilhoso Hotel.

— Que vestido ela vai usar? — perguntava Maria Tomba Homem ao travesti Cintura Fina, que era costureiro.
— O vestido de Eva. Ela vai descer vestida de Eva.

Como, por desaviso ou não, mais três tanques passaram pela Rua Guaicurus, cresceu em todos a sensação de que o Brasil dessa vez ia mesmo cair no abismo — e essa sensação aumentou o consumo de bebidas nos bares e como a notícia dos tanques passando chegou ao maestro Delê, a orquestra do Montanhês Dancing, no embalo do adeus de Hilda Furacão, encontrou mais uma razão para a nostalgia, e o próprio Delê cantou *Cuesta Abajo*, tango de Gardel e Le Pera:

"Era para mi la vida entera
como un sol de primavera
mi esperanza e mi passion
cabia toda la humilde alegria
de mi pobre corazon..."

Dentro do quarto 304, que ocupava há cinco anos, Hilda Furacão vivia uma mistura de alegria e ansiedade; aqueles homens, de todas as idades, uns passados dos 60, uns entre os 40 e os 55, e outros mais novos, e até mesmo rapazes que aproveitavam o descuido do Juizado de Menores, aqueles homens não podiam imaginar de onde vinha a luz que brilhava nos olhos de Hilda Furacão e que transmitia a todos uma alegria, uma vontade de viver; para que ela pudesse atender a todos, com o câmbio dobrado e já agora triplicado pela direção do Maravilhoso Hotel, e pagamento antecipado, pois às 5 da manhã do dia 1º de abril de 1964 Hilda Furacão estaria descendo a escada do Maravilhoso Hotel pela última vez, a direção do Maravilhoso Hotel tomou três providências: a primeira — distribuiu senhas, mas todos ficavam obrigados a permanecer na fila; a segunda — ninguém receberia senha depois da meia-noite; a terceira — o tempo de cada um com Hilda Furacão era de 2 a 3 minutos, cronometrados por um leão de chácara que batia na porta do quarto 304 avisando; a partir das 2 da madrugada o tempo caiu para apenas 2 minutos.

— Mas é pouco — reclamavam alguns. — É muito pouco.

— É melhor do que nada, ô bacana — dizia o leão de chácara do Maravilhoso Hotel, mostrando uma estranha erudição: — Dois minutos no paraíso é uma vida, ô bacana.

Hilda Furacão estava atenta ao relógio e ao telefone, não para cronometrar o tempo dos fregueses — a razão, vocês sabem; o tempo passava com uma enorme rapidez; já eram 11 horas da noite de 31 de março de 1964: dentro de 60 minutos esgotava-se o tempo que Hilda Furacão havia dado a Frei Malthus para se decidir.

— E se ele não telefonar? — perguntou enquanto abraçava e beijava um rapaz ao qual fazia subir pelas paredes. — E se ele não telefonar?

— Se ele quem não telefonar? — perguntou a Hilda Furacão um emocionado rapaz de 17 anos. — Você está esperando alguém?

— Se ele não telefonar — continuou a falar em voz alta, depois, já pondo o vestido, pois vestia-se para atender cada cliente —, você, Hilda, não vai se desesperar, você vai ficar livre desse pesadelo do quarto 304, sua penitência está cumprida, e isso há de te alegrar, Hilda... mas como você gostaria que ele telefonasse.

Mais tarde, olhou o relógio de pulso: eram 11 e 15 da noite de 31 de março de 1964.

E ele, o que estará fazendo agora? Está no Convento dos Dominicanos?

3

Ratos e Homens

Naquela hora, 11 e 15 da noite de 31 de março de 1964, o repórter Ponce de Leon Antunes foi jogado numa cela escura, esperou a vista acostumar-se com a escuridão, recordando-se das vezes em que chegava atrasado no cinema com Maria Teófila, a Teo, e sentiu muita saudade de quando assistiram Noites de Cabiria, de Fellini.

— O que a Teo está fazendo agora?

Quando a vista acostumou-se, Ponce de Leon viu ratos na cela — gostou da companhia deles, e começou a pensar no romance *Ratos e homens*, de John Steinbeck, que era o autor de que mais gostava, o que provocava discussões na redação da *Alterosa*, onde a maioria (Carlos Wagner, Ivan Ângelo, Roberto Drummond) gostava mais de Hemingway e de Faulkner do que de Steinbeck.

— O que eles estão fazendo agora?

Ponce de Leon acreditava que, trabalhando numa revista do Governador Magalhães Pinto, seria libertado a qualquer momento. Por sorte, deixaram com ele o relógio de pulso; tomaram o cinto, a gravata, o paletó, a camisa, até os cadarços do sapato tiraram, levaram tudo para que não tentasse suicídio e jogasse a culpa neles — os militares que o prenderam; o relógio era fosforescente, ele podia saber as horas: eram 11 e 17 da noite de 31 de março de 1964.

— O que eles vão fazer comigo? — perguntou-se então.
— E se não me libertarem?

4

Cala-te, Coração

Naquela mesma hora, na casa de purgação no fundo do quintal do Convento dos Dominicanos, Frei Malthus chicoteava o próprio corpo; desde as 11 da noite, quando cresceu a tentação de telefonar para Hilda Furacão e dizer que a amava, trancou-se na casa de purgação e começou a chicotear-se; e repetia:

— Cala-te, coração, teu lugar é ao lado dos pobres e explorados, dos humilhados e ofendidos que precisam da Igreja de Cristo.

Mas não resistiu: quando se fechou na casa de purgação ali, onde ninguém ouvia o barulho das chicotadas, nem os gritos de dor, não resistiu e olhou para o sapato da Cinderela, há tanto tempo em seu poder; quanto mais se chicoteava, mais olhava para o sapato e mais amava Hilda Furacão. Seguiu chicoteando-se ainda por algum tempo. Desesperado, caiu de joelhos e implorou:

— Tende piedade de mim, Santo Antão!

Estava, é verdade, alheio a tudo: pouco sabia sobre os tanques nas ruas, os soldados que iam deixar Minas e seguir para o Rio de Janeiro para depor o Presidente João Goulart; estava indiferente à lista de nomes de pessoas a serem presas — nem se importava se pusessem seu nome na lista como dirigente da JOC.

— Santo Antão, já não resisto mais, Santo Antão. Pela última vez imploro: valei-me! — e continuou a chicotear o próprio corpo com mais força.

5

E SE ELE NÃO TELEFONAR?

Às 11 e 45 da noite de 31 de março de 1964, no quarto 304, toda a alegria adolescente de Hilda Furacão corria risco.
— E se ele não telefonar?
Se ele não telefonar, Hilda, você levanta a cabeça e vai embora: você tem tantas lembranças felizes e, depois, Hilda, se ele não vier você o perdeu sim, mas não para uma mulher, não o perdeu, por exemplo, para qualquer uma das primas que você sempre detestou, você o perdeu para Jesus Cristo, Hilda, e isso consola.
Às 11 e 48 da noite Hilda Furacão perdeu a esperança.
— O que aconteceu com você, minha filha? — perguntou, muito paternal, um coronel que tinha vindo de Santa Cruz do Escalvado. — Você está chorando, minha filha?

6

É VOCÊ, O GENERAL?

Às 11 e 49 da noite de 31 de março de 1964 abriram a cela onde Ponce de Leon estava e jogaram um homem sem camisa, só de calças e descalço; Ponce de Leon ajudou o homem a ficar de pé — viu de quem se tratava e gritou:
— É você, General? É você?
Sendo surdo, o jornalista Celius Aulicus, que todos conheciam como General, nada ouviu; só mais tarde disse:
— Uai, Ponce? Você também está em cana?

Agora, eram dois homens na cela escura no meio dos ratos; às 11 e 50 da noite trouxeram um terceiro, que disse:
— Sou filho de deputado, eles vão ter que me soltar.

7

É VOCÊ, MEU AMOR?

Às 11 horas e 51 minutos da noite de 31 de março de 1964 o telefone do quarto 304 do Maravilhoso Hotel tocou; Hilda Furacão estava vestida, tinha pedido dois minutos de descanso e agarrou o telefone; diálogo que aconteceu e que este escriba conseguiu reconstituir mais tarde:
 Ela: — É você, meu amor, é você?
 Ele: — Sou eu e já decidi.
 Ela: — O que você decidiu, meu amor? O que decidiu?
 Ele: — Que a minha vida só tem sentido se for ao seu lado.
 Ela: — Que bom, meu amor, que bom! Sou a mulher mais feliz do mundo!
 Ele: — Vou aí agora te buscar.
 Ela: — Não seja louco. Vamos nos encontrar amanhã, às 5 da tarde.
 Ele: — Amanhã é dia 1º de abril e eu não confio no dia 1º de abril.
 Ela: — Pode confiar. Nasci no dia 1º de abril e existo, não êxito?
 Ele: — Tenho muito medo do dia 1º de abril.
 Ela: — Não precisa ter medo, amor. Amanhã, dia 1º de abril, às 5 da tarde, estarei te esperando diante da sede do Minas Tênis Clube, na Rua da Bahia.
 Ele: — Tem que ser diante do Minas Tênis Clube?
 Ela: — Faça isso por mim, meu amor.

Ele: — Eu tenho muito medo do dia 1º de abril, mas estarei lá.
Ela: — Posso confiar?
Ele: — Pode.
Hilda Furacão colocou o telefone no gancho e quando um cliente entrou, liberado pelo leão de chácara do Maravilhoso Hotel, ela dançava uma valsa sozinha no quarto.

8
1º DE ABRIL DE 1964

Eram 5 horas da manhã do dia 1º de abril de 1964. Na Rua Guaicurus, na Zona Boêmia de Belo Horizonte, uma pequena multidão de boêmios e prostitutas espera diante da porta do Maravilhoso Hotel; estão ali também os músicos da orquestra do Montanhês Dancing, comandados pelo maestro Delê; todos olham para a escada e aguardam; então Maria Tomba Homem e o travesti Cintura Fina gritam:
— E vem ela! E vem ela!
Todos viram, mesmo este escriba e a bela B., convocados por um telefonema de Hilda Furacão, viram, pois estavam entre os boêmios, ao lado do compositor Rômulo Paes e do gordo Emecê; todos vimos quando Hilda Furacão veio descendo a escada; usava o mesmo vestido tomara que caia que fazia a loucura dos homens que frequentavam as missas dançantes do Minas Tênis Clube, o mesmo da Noite do Exorcismo, e com o qual ela entrou ali pela primeira vez; o colar que imitava pérolas também era o mesmo, o mesmo brinco, e ela descia devagar a escada porque estava apenas com um pé de sapato, o outro pé ela havia perdido na Noite do Exorcismo.

— Viva Hilda Furacão! — gritaram Maria Tomba Homem e o travesti Cintura Fina. — Viva! — respondemos. — Viva!
Então, a orquestra do Montanhês Dancing, regida pelo maestro Delê, começou a tocar a *A valsa do adeus*, e todos cantamos, enquanto Hilda Furacão descia a escada do Maravilhoso Hotel:

"Adeus amor, eu vou partir
ouço ao longe um clarim..."

Ela vinha descendo a escada, estava linda, e cantávamos:

"A luz que brilha
em teu olhar
a certeza me deu
de que ninguém pode afastar
o meu coração do teu..."

Quando chegou cá em baixo, ainda cantávamos e ela abaixou e beijou o asfalto da Rua Guaicurus; continuamos cantando:

"Estando ao longe
estando a sós
ouvirei a tua voz..."

Beijou no rosto o maestro Delê e o gordo Emecê; abraçou e beijou Maria Tomba Homem e disse "Se cuide, hein?"; abraçou e beijou o travesti Cintura Fina e falou "Cê também se cuide, hein?"; quando viu este escriba veio andando e a mim também abraçou e beijou, e depois abraçou e beijou a bela B. e disse baixinho:

— Haveremos de ser muito felizes!

Foi andando e enquanto aplaudíamos entrou num Simca areia e desapareceu na Rua Guaicurus; a orquestra do maestro Delê continuou a tocar *A valsa do adeus* e ficamos na Rua Guaicurus cantando durante muito tempo.

9
Hoje é 1º de Abril, Cambada!

Não longe dali, na Avenida do Contorno, num ponto ermo vizinho do Rio Arrudas, três militares armados com fuzis esperaram o Simca areia subir a Rua da Bahia e então mandaram Ponce de Leon, o General e o filho do deputado descerem de um jipe do Exército; estavam descalços e sem camisa, tinham que segurar a calça para que não caísse, e ouviam, com exceção do General que era surdo, uma orquestra tocando *A valsa do adeus* e vozes cantando na Rua Guaicurus.

— Encostem no muro, seus comunas — gritou o oficial louro e com sotaque carioca. — Vocês vão ter um bonito fundo musical. Até parece filme de Hollywood!

Quando os três ficaram encostados no muro e os oficiais tomaram a posição típica de um pelotão de fuzilamento, o filho do deputado começou a chorar e caiu de joelhos:

— Pelo amor de Deus, não! — disse. — Meu pai é deputado.

— Deixa de ser cagão, seu comuna duma figa — gritou o oficial com sotaque paulista. — Seja homem pelo menos pra morrer, caralho!

Ponce de Leon e o General tentavam manter de pé o filho do deputado.

— Levanta, companheiro! Tenha vergonha — dizia Ponce de Leon. — Levanta!

Soprou o vento, aquele vento que Hilda Furacão tão bem conhecia, porque soprava toda madrugada, e *A valsa do adeus* chegou mais forte até eles.

"Estando ao longe
estando a sós
ouvirei a tua voz..."

O filho do deputado ficou novamente de joelhos e o pelotão de fuzilamento disparou os fuzis: Ponce de Leon e o filho do deputado ouviram os tiros, mas o General, que era surdo, nada escutou; no entanto, estavam vivos, só o filho do deputado desmaiou — os três oficiais começaram a rir e o que tinha sotaque de mineiro gritou:

— Hoje é 1º de abril, cambada! Vocês não sabem que hoje é 1º de abril, comunas de merda?

E o de sotaque carioca também gritou:

— Agora caiam fora, seus comunas! Senão perdemos a paciência e vocês vão ver o sol nascer quadrado pelo resto da vida!

Ponce de Leon saiu correndo; logo foi seguido pelo filho do deputado, mas o General não correu porque era surdo, e só quando os militares saíram no jipe é que percebeu que estava vivo e livre; Ponce de Leon chegou correndo na Rua Guaicurus, de onde vinha a música que parecia o fundo musical ideal para uma execução diante do pelotão de fuzilamento.

10

Sigam os Passos de Frei Maltus

Às 4 e 15 da tarde do dia 1º de abril de 1964, Frei Malthus já podia deixar o Convento dos Dominicanos, na Rua dos Dominicanos, nas Mangabeiras, e ir ao encontro de Hilda Furacão; tinha decidido sair com o hábito de dominicano — numa pequena mala levava todos os seus pertences: duas mudas de roupas civis, as únicas que possuía; a escova de dente; o creme dental; um aparelho de barbear; uma gilete; o sapato perdido por Hilda Furacão, e era tudo; na hora de sair decidiu colocar uma lata de geleia de jabuticaba na mala, repetindo, para se consolar, uma frase de Ortega y Gasset ouvida de Dom Hélder Câmara:

— Eu sou eu e as minhas circunstâncias!

Sim — mais tarde contaria tudo a este narrador —, poderia ter deixado o Convento dos Dominicanos às 4 e 15 daquela tarde de 1º de abril de 1964; mas, na hora de sair, como acreditasse que tinha tempo de sobra para chegar ao Minas Tênis Clube, às 5 horas, como havia combinado com Hilda Furacão, pois bastava ir à Avenida Afonso Pena e pegar um táxi, demorou-se um pouco mais numa visita sentimental ao Convento dos Dominicanos; mesmo à casa de purgação Frei Malthus voltou — com seu passeio sentimental, perdeu 15 minutos fatais. Na hora de sair, perdeu mais 2 minutos conversando com o irmão leigo:

— Não quer que eu o leve na Kombi, Frei Malthus?

— Não, obrigado, irmão. Vou pegar um táxi na Avenida Afonso Pena.

Tomou-se, então, de muita emoção ao despedir-se do irmão leigo; tiveram uma longa e monossilábica convivência e agora, quando ia deixar de ser um frade dominicano para viver uma paixão maior do que a que sentia pelo Cristo, queria abraçar o irmão leigo; disse:

— Dá cá um abraço, irmão.

Ia saindo, poderia ainda ser salvo se saísse, mas voltou-se e disse:

— Irmão, nunca soube o seu nome.

— Lourenço Tanajura — disse. — Frei Malthus: está certo de que não quer que eu o leve?

— Obrigado, irmão, não é preciso.

Eram 4 horas e 38 minutos; ficou indeciso se descia a Rua dos Dominicanos ou se subia; optou por subir e foi então que se perdeu de vez, porque não andou muito e um jipe do Exército parou a seu lado e dois oficiais armados de metralhadoras desceram:

— Frei Malthus, pois não? — perguntou o louro.

— Sim, Frei Malthus — respondeu.
— Sentimos muito, Frei Malthus, mas o senhor está preso.
— Está o quê? — estranhou.
— Preso, Frei Malthus. O senhor é acusado de atividades subversivas.
— Deve estar havendo algum mal-entendido — protestou Frei Malthus.
— O senhor parece ignorar, Frei Malthus, mas está havendo uma revolução no Brasil.

Pensou em correr, em fugir, em gritar, em encontrar uma maneira de avisar a Hilda Furacão o que estava acontecendo. Entrou no jipe; o oficial moreno disse:
— Perdão, Frei Malthus, mas temos que algemá-lo. O senhor compreende.

Olhou o relógio: faltavam 7 minutos para as 5 da tarde do dia 1º de abril de 1964.
— Para onde vocês vão me levar? — perguntou.
— O senhor saberá, Frei Malthus.
— E vão me libertar rapidamente?
— No lugar do senhor — respondeu o oficial louro e mais amável dos dois — não teríamos a mesma esperança.
— Mas isso é uma violência — protestou.
— É uma revolução, Frei Malthus!
— Revolução ou golpe militar?
— Se vencermos, Frei Malthus, será uma revolução. Se perdemos, será um golpe militar.
— Mas tenho um compromisso sagrado às 5 da tarde — disse Frei Malthus. — Um compromisso sagrado — insistiu...
— Com Deus? — perguntou o motorista do jipe, que era um soldado.
— Não fale nesse tom com Frei Malthus — disse o oficial louro. — Perdoai-o, Frei Malthus: ele não sabe o que diz.

Frei Malthus foi tomado pela maior sensação de angústia e de impotência que alguma vez sentiu... e pensar que se ele tivesse saído antes — às 4 e 15 da tarde, como pensou, ou mesmo às 4 e 30? — teria havido um desencontro e não estaria preso agora! Quando o jipe chegou ao Prado, onde ficava um quartel do Exército, Frei Malthus olhou o relógio: eram 5 e 16 da tarde e sentiu uma dolorosa vontade de chorar; pensou:

— Eu bem que disse a ela que tinha medo do dia 1º de abril.

11

AH, FELICIDADE, VOCÊ ME PASSOU UM 1º DE ABRIL

Ela chegou um pouco antes das 5 da tarde diante do Minas Tênis Clube; estacionou o Simca areia na Rua da Bahia e acendeu um cigarro; havia uma grande movimentação por ali, por causa da vizinhança com o Palácio da Liberdade — carros chapas-brancas, jipes militares e nem mesmo um tanque vindo na contramão na Rua da Bahia levaram-na a suspeitar que fatos graves estavam acontecendo. Mas às pessoas felizes os tanques não incomodam; às 5 da tarde ela desceu do Simca; usava o mesmo vestido tomara que caia de quando deixou o Maravilhoso Hotel e, para não ficar mancando, porque tinha só um pé do sapato, encostou-se no Simca e ficou olhando a sede social do Minas Tênis Clube: recordou as missas dançantes, quando era a Garota do Maiô Dourado, recordou o carnaval em que cheirou lança-perfume e caiu da mesa; nunca mais passou diante da sede do Minas Tênis Clube desde que, cinco anos atrás, foi para o quarto 304 do Maravilhoso Hotel; antes de ir para a Zona Boêmia despedira-se do Minas Tênis dizendo em voz alta:

— Um dia volto para ser muito feliz porque aí, sim, estarei em condições de ser feliz.

Agora estava ali de volta; imaginava uma cena: Frei Malthus abaixa-se e, pegando seu pé esquerdo, coloca o sapato de Cinderela; uma pergunta que ela fazia para si mesma:

— Será que ele vem de hábito?

Às 5 e 8 da tarde sentiu um frio na boca do estômago, que passou logo: às 5 e 15 da tarde, o frio voltou e ficou.

— Meu Deus! O que terá acontecido?

Pensou em todas as possibilidades, menos no que realmente aconteceu; às 5 e 20 da tarde do 1º de abril de 1964, as tropas do General Olímpio Mourão Filho, aquarteladas em Juiz de Fora, iniciaram a marcha para o Rio de Janeiro para depor o Presidente João Goulart; às 5 e 45 Hilda Furacão teve, realmente, medo de que alguma coisa séria tivesse acontecido:

— Hilda, Hilda: e se ele desistiu, Hilda? Lembre-se, Hilda: seu adversário é Jesus Cristo!

Às 6 e 25 da tarde, já estava escuro e alguém passou dizendo que um pastor protestante e adeptos de sua igreja tinham sido presos quando iam a um culto e todos foram mortos por soldados do Exército; um calafrio tomou o corpo de Hilda Furacão, mas ela não pensou no que pudesse ter acontecido a Frei Malthus.

— Bom, Hilda, você já esperou mais do que devia. Espera agora até às 7 e 20. É um prazo mais do que suficiente.

Mas às 7 e 15, Hilda Furacão decidiu ir embora; deu um último olhar para a sede social do Minas Tênis Clube e disse, como se as paredes pudessem escutá-la:

— Ah, felicidade, você me passou um bom 1º de abril.

Entrou no Simca e começou a circular pela cidade. E hoje eu fico pensando: se Hilda tivesse ido à minha casa, se tivesse telefonado; mas não; ela não pensou nem mesmo em ir ao Convento dos Dominicanos e deixou a Rua da Bahia, em frente à sede do Minas Tênis, às 7 e 15 da noite, e não às 7 e 20, como havia planejado:

— Já esperei demais. É uma pena, mas é hora de ir embora.

12

Suspeitos Sobre o Sapato da Cinderela

Às 7 e 20 da noite de 1º de abril de 1964, um jipe do Exército para em frente à sede social do Minas Tênis, na Rua da Bahia; Frei Malthus desce e ainda sente no ar o perfume Muguet du Bonheur de Hilda Furacão.
— Coitada — disse. — Coitadinha!
O oficial louro o acompanhava a alguns passos de distância; aquele tempo todo, no quartel do Exército, no Prado, ele interrogou Frei Malthus sobre o suspeito sapato de mulher, de número 37, que tinha na mala; era mesmo um homem muito delicado, e delicado era também o outro oficial.
— Frei Malthus, que misterioso sapato é esse?
— É o sapato da Cinderela — respondeu.
— Da Gata Borralheira, Frei Malthus?
— Isso mesmo: da Gata Borralheira.
— Estou vendo aqui: é um sapato número 37, Frei Malthus. Creio que aqui está todo o segredo e o mistério de sua vida, Frei Malthus. O senhor foi candidato a Santo, não é? Se não tivesse se ligado aos comunistas depois da Noite do Exorcismo, na época da campanha pela Cidade das Camélias, hoje seria certamente Santo canonizado em vida. É o que tenho em mãos — e mostrou um papel.
— O que é isso, major?
— É sua ficha no serviço secreto do Exército, Frei Malthus.
— Tem tantas páginas assim?
— Mas só falta um detalhe precioso, que foi a grande falha do serviço secreto: sabemos até que o senhor ama a geleia de jabuticaba que a senhora sua mãe, Dona Nhanhá, faz com mãos divinas... mas, Frei Malthus, que sapato de mulher é esse que o senhor carrega na mala?
— É da Cinderela — repetia Frei Malthus.

— Outra coisa, Frei Malthus: aonde o senhor ia quando o prendemos? Que encontro misterioso era esse? Acaso seria com a Gata Borralheira? Com a Cinderela? Hein, Frei Malthus?

O louro que o interrogava foi chamado na sala ao lado; levou o sapato da Cinderela, mas voltou com ele nas mãos, entregou-o a Frei Malthus.

— Sentimos muito o que está acontecendo ao senhor, Frei Malthus. As tropas do General Mourão não estão encontrando resistência e se dirigem para o Rio de Janeiro. Nossa revolução vai ser vitoriosa, Frei Malthus.

— Parabéns! — disse ironicamente.

— Sabe o que o General Mourão defende, Frei Malthus?

— Boa coisa não deve ser. Não foi ele quem inventou o Plano Cohen?

— Bem informado, hein, Frei Malthus? — disse o louro.

— O General Mourão Filho defende a morte sumária dos subversivos presos. Assim nos diga, Frei Malthus: qual é o seu último desejo?

— Último desejo, como?

— Diga uma coisa que o senhor queira fazer, Frei Malthus, e nós o atenderemos.

Então ele disse que queria dar adeus à sede social do Minas Tênis Clube porque foi muito feliz nadando no clube, e o levaram; se chegasse 5 minutos antes, Hilda Furacão ainda estaria lá e teria ficado sabendo o que havia acontecido; é verdade que Frei Malthus pensou em telefonar para a casa deste narrador.

— Não posso usar o telefone do Minas Tênis?

— O telefone, não, Frei Malthus. O senhor nos desculpe.

Ficou algum tempo respirando o perfume Muguet du Bonheur de Hilda Furacão e disse aos oficiais.

— Já podemos ir.

Eles então o levaram; não o mataram, nem fuzilaram.

Quando mais tarde teve a confirmação de que o General Mourão era a favor de fuzilar todos os presos políticos e por isso os oficiais resolveram satisfazer sua última vontade, pensou:

— Será que se pedisse para ver Hilda Furacão eles iam deixar?

13

A CINDERELA E O PADRE

Se Frei Malthus fosse procurar Hilda Furacão não a encontraria em lugar algum, nem mesmo no palacete da Cidade Jardim; desde que deixou o Minas Tênis Clube, indiferente à movimentação militar, às sirenes, às explosões e mesmo às prisões feitas pelos "braçadinhas" (viu pelo menos duas casas serem invadidas), Hilda Furacão ficou rodando no Simca pela cidade.

— Sou uma Cinderela de 1º de abril. É o que sou: uma Cinderela de 1º de abril!

Por um momento pensou em ir ao Convento dos Dominicanos; se fosse lá, teria sabido do que houve, pois uma vizinha viu Frei Malthus ser levado pelo jipe do Exército e foi ao Convento dar a notícia; mas o orgulho impediu-a; chegou a passar diante do Convento, onde um agente do serviço secreto do Exército estava disfarçado de vendedor de algodão-doce — ela sentiu uma incontrolável vontade de comer algodão-doce; parou o Simca e comprou um. Enquanto o algodão-doce dissolvia em sua boca, pensou no tempo em que havia cine grátis em Belo Horizonte, ela era adolescente e não perdia um cine grátis no Santo Antônio ou nos Funcionários, e comia algodão-doce; ao volante do Simca, comendo algodão-doce, desceu a Avenida Afonso Pena lembrando-se da vez em que o engenheiro Janot Pacheco anunciou que ia fazer chover em Belo Horizonte; a bordo de um pequeno avião ele bombardeava as nuvens com pedras de gelo e o céu escureceu, todos esperavam que chovesse, e ela, Hilda, torceu muito pelo engenheiro Janot Pacheco; algum tempo depois, o filho do velho Janot passou a ser conhecido como Janot Chuvinha e uma música, que Hilda cantou nos bailes de carnaval do Minas Tênis, dizia:

"Ai, ai, Janot
a sua invenção falhou
você prometeu chover
não choveu..."

Hilda Furacão, a Garota do Maiô Dourado, foi voltando no tempo e queria uma coisa na vida naquela noite de 1º de abril de 1964: ter o colo da mãe para chorar, como no tempo em que Janot Pacheco prometeu fazer chover e não choveu.
— Vai, Cinderela de 1º de abril, vai!
À noite, ainda indiferente à movimentação militar, rodava no Simca; ia pela Rua Curitiba quando viu um padre alto e meio empinado atravessar a rua; a batina preta era um pouco curta e ele não tinha o andar de padre — parou na esquina com Carijós e olhou para o Edifício Pirapetinga, onde ficava a redação do *Binômio*, depois o padre abraçou uma árvore e chorou convulsivamente.

A menina que gostava de algodão-doce, que torcia para o velho Janot Pacheco fazer chover, em que Hilda estava transformada, sentiu muita pena do padre que chorava abraçado na árvore. Descendo do Simca, aproximou-se:
— Seu padre — disse. — Posso ajudar?
O padre a encarou e ela o reconheceu: era o jornalista José Maria Rabelo, que não estava morto, como ele próprio divulgou.
— Zé Maria Rabelo, você, vestido de padre?
Ele também a reconheceu.
— Hilda, é você? — disse enxugando as lágrimas. — Estou disfarçado, fugindo dos militares.

— E não quer que eu te deixe em algum lugar, Zé Maria?
— Não, Hilda. Estou naquele carro ali — e apontou um Ford. — Espero poder vê-la breve, Hilda.

Vestido de padre, José Maria Rabelo chegou ao Rio de Janeiro e pediu asilo na embaixada do Panamá: ficou muitos anos no exílio; quando voltou, confirmou a este narrador a cena que Hilda Furacão já havia revelado.

14

O General, a Tesoura, o Telefone... e Nossas Vidas

Quando João Goulart já estava no exílio, no Uruguai, e o golpe militar, conhecido como revolução de 31 de março de 1964, editou os primeiros atos institucionais com cassações e suspensão de direitos políticos, Frei Malthus, que continuava preso, foi um dos primeiros atingidos; por esse tempo, Hilda Furacão tinha viajado para a fazenda no Mato Grosso sem saber o que havia acontecido; na tarde do dia 9 de abril, o General Guedes atravessou a Rua Santa Catarina, diante da ID-4, com a tesoura com que cuidava das rosas e, tendo ao lado um ajudante de ordens carregando uma escada, parou diante da casa em que José Aparecido de Oliveira morava, subiu na escada e cortou a linha do telefone com a tesoura. Ao perceber que o telefone ficou mudo de repente, José Aparecido apareceu na sacada, dessa vez usava um pijama listrado e não a cueca branca — e viu o General Guedes voltar à ID-4 com a tesoura na mão e o ajudante de ordens com a escada no ombro.

A situação dos que, de uma maneira ou de outra, tinham visto o General Guedes cuidar de suas rosas da sacada de

José Aparecido, era a seguinte naquela tarde de 9 de abril de 1964:

• Deputado federal José Aparecido de Oliveira: teve seu mandato cassado e seus direitos suspensos por dez anos, na primeira lista de cassações, mas por interferência do Governador Magalhães Pinto, não chegou a ser preso;

• Governador de Pernambuco, Miguel Arraes: foi cassado e teve os direitos políticos suspensos por dez anos e levado preso para a Ilha de Fernando de Noronha;

• Governador de Sergipe, Seixas Dória: cassado, direitos políticos suspensos por dez anos e prisão na Ilha de Fernando de Noronha;

• Deputado Francisco Julião, das Ligas Camponesas: tinha destino ignorado e alguns o davam como morto o que não se confirmou depois;

• Deputado federal Leonel Brizola: tentou uma reação ao golpe militar indo para Porto Alegre com o apoio do General Ladário Telles; pôs no ar a Rede da Legalidade e chegou a fazer um discurso que este narrador e a bela B. ouviram com muita esperança, em que se dirigia ao Comandante da Vila Militar, que era legalista:

— General Oromar Osório pegue esses gorilas pelo rabo e mostre que o exército brasileiro não é um grupelho de golpistas...

Pouco depois, Brizola exilou-se no Uruguai.

Quanto a este narrador, a sensação que sentia era de que o golpe militar de 1964 cortou-me ao meio com a mesma tesoura que o General Guedes usou para cortar o fio do telefone da casa de José Aparecido; a revista *Alterosa* continuou a circular, mas mandei o repórter Carmo Chagas ir a Pompeu entrevistar Chico Campos, o pai dos atos institucionais, e publicamos a entrevista em que ele dizia que sabia como escapar dos atos institucionais; o que o irritou foi a epígrafe da reportagem, uma frase do cronista Rubem Braga: "Quando o Sr. Francisco Campos acende a sua luz, acontece um curto-circuito nas instalações democráticas nacionais". Na véspera do Natal de 1964, a *Alterosa* foi fechada e, em janeiro, fui trabalhar como copidesque no *Jornal do Brasil*, no Rio de Janeiro.

Agora que estou recordando o que aconteceu, não posso deixar de imaginar, com um certo frio na espinha, o que o copidesque do *Jornal do Brasil* que eu era faria se este relato caísse em suas mãos; começaria por cortar esse "um certo frio na espinha" — e tantos cortes e mutilações faria, no empenho de copidescar a própria vida (falas, pensamentos, sonhos, etc.), sem esquecer que haveria de colocar os acontecimentos em linha reta, além de adotar uma linguagem seca e enxuta, que quase nada restaria deste relato, um tanto bárbaro e pouco solene para seu gosto.

Mas devo seguir: não fiquei muito tempo no *Jornal do Brasil* — acreditava que todo avião que levantava voo no Rio de Janeiro ia para Minas; uma tarde, estava na praia de Copacabana com a bela B., e disse:

— Vamos voltar para Belo Horizonte?
— Vamos — ela respondeu.

15

Esperando uma Chuva de Dólares

Voltamos para Belo Horizonte e fiquei desempregado durante 11 meses e 27 dias; era acusado de ser subversivo, palavra da moda, e além da militância comunista, era alvo de duas acusações: fui visto muito feliz na noite em que Jango assinou o decreto da reforma agrária e assinei um manifesto de solidariedade a Fidel Castro na época da invasão da Baía dos Porcos; voltei a fazer análise com a Dra. Aspásia Pires na época do desemprego e ficava em casa, lendo Sartre e os livros do economista Celso Furtado e de J. D. Salinger; uma tarde, subia a Rua Bahia quando o jornalista Cyro Siqueira saiu da Gruta Metrópole e veio falar comigo; não tínhamos muita afinidade um com o outro, mas foi a única pessoa com quem contei naquele tempo de desemprego:

— Você não quer escrever reportagens para o "Suplemento de Domingo" do *Estado de Minas*? Vou te pagar muito pouco, mas como você está meio out, publico seu nome com grandes letras e assim você volta à ativa.

Ganhei um prêmio Esso regional com a série "Interpretação econômica do futebol brasileiro", que fiz com os conhecimentos adquiridos lendo Celso Furtado e pouco depois começava do zero como repórter da sucursal do *Jornal dos Sports*, em cuja edição mineira tornei-me cronista esportivo, e ingressei na Asa Publicidade. Em 1969, era cronista de futebol do *Estado de Minas*, levado por Cyro Siqueira; uma noite, desci da redação e fui no Bar do Chico, onde todos viam na televisão a notícia da decretação do ato institucional nº 5.

Depois, saí andando a pé: entrei em três bares e escrevi a grafite na parede dos mictórios: "Abaixo o AI-5". Fui ver minha mãe, que agora morava num apartamento na Rua Paraíba, num prédio que pertencia à Polícia Militar e, por isso, era sempre um insuspeito refúgio em épocas de crise — e recebi alguns recortes do *Washington Post* que minha irmã Anabela Drummond Lee, que mora nos EUA, tinha mandado e nos quais o gângster Pretty Boy, the terrible, anunciava que muito brevemente iria fazer chover dólares numa cidade da América do Sul, em sua pátria, o Brasil, chamada Belo Horizonte; isso e a certeza de que ainda não havia decepcionado a bela B. eram as únicas coisas otimistas na noite da decretação do AI-5; fui para casa andando a pé e pensando: "Venha, oh aguardada chuva de dólares, não tarde a vir"; no dia seguinte Frei Malthus foi preso em Porto Alegre pela quinta vez desde 1964.

16

NUMA JANELA EM BUENOS AIRES

Como cronista de futebol, fui a Buenos Aires acompanhando a seleção brasileira e encontrei Hilda Furacão, que estava morando lá; visitei-a em seu apartamento, ficamos conversando debruçados na janela — soprava o vento do anoitecer em Buenos Aires e Hilda Furacão disse:

— Este vento vem do Brasil.

Depois, Hilda Furacão começou a acreditar que o vento trazia do Brasil lembranças tão queridas que, apenas por elas, agradecia a Deus por ter vivido e mais nada queria deste mundo.

— Enquanto este vento soprar do Brasil — dizia a voz denunciando o sotaque argentino — serei sempre jovem e estarei no coração do mundo.

P.S. nº 1 (à moda das cartas de Tia Çãozinha) — Receio que a própria Tia Çãozinha esteja agora muito frustrada com este final, dizendo:

— Ficaram muitas coisas no ar. Por exemplo: por que Frei Malthus e Hilda Furacão não ficaram juntos? Outra pergunta: e o sapato da Cinderela: o que foi feito dele?

Quanto ao sapato da Cinderela: onde quer que vá, incluindo os presídios por onde passou, Frei Malthus o leva; quanto a não ficarem juntos, Hilda só foi saber do que realmente aconteceu naquela tarde de 1º de abril de 1964, um ano depois, quando contei tudo a ela.

P.S. nº 2 — Imagino Tia Çãozinha e os leitores perguntando:

— Hilda Furacão continua um mistério. Por que ela foi para a Zona Boêmia num dia 1o de abril, quando era a Garota do Maiô Dourado e por que saiu cinco anos depois, também num 1o de abril?

Devo informar que fiz essas perguntas a Hilda Furacão quando a encontrei em Buenos Aires e ela fugiu do assunto; quando disse que precisava de uma explicação para dar aos leitores, pois ia escrever um romance a seu respeito, ela retrucou, esquecida da velha promessa de revelar seu segredo:

— Por que você não diz aos leitores que, tal como contou no seu romance, eu, Hilda Furacão, nunca existi e sou apenas um 1o de abril que você quis passar nos leitores? Por que não diz isso?

Penso que não deixa de ser uma boa ideia.

Sobre Sangue de Coca-Cola

"SANGUE DE COCA-COLA é um dos livros mais felizes de Roberto Drummond e um dos melhores relatos da violência repressiva por que passou o país nos últimos tempos. Não se trata de mera prosa documental ou de simples reflexo da realidade. É transubstanciação temática, alta manipulação verbal. Neste romance de ritmo alucinante, os ditadores brasileiros e seu séquito grotesco de sádicos e oportunistas emergem de dentro de uma visão onírica do mundo, repassada de contrastes e deformações, ora dramática, ora risonha e satírica. O romancista tem a habilidade de montar um texto multinucleado, de várias nascentes de ações dramáticas, diante do qual o leitor se diverte, se informa e, principalmente, se engaja. O romancista está em pleno domínio da linguagem e, por isto, produz um texto enérgico, cheio de crispações, de entrelaçamento estreito da crua realidade com a mais sedutora fantasia."

(FÁBIO LUCAS)

"...definitivamente interessante."

(WLADYR DUPONT – VEJA)

"Pela primeira vez no Brasil alguém tem a coragem de escrever um romance onde os ditadores não se chamam Juan, Hernández ou Pérez, mas Castelo Branco, Costa e Silva e Garrastazu Médici. E, ao invés de se passar no Eldorado, SANGUE DE COCA-COLA, de Roberto

Drummond, se passa no Brasil mesmo, no negro período marcado por um ininterrupto massacre de indefesos presos políticos. Os nomes estão todos lá."

(ANTONIO ZAGO – FOLHA DE S. PAULO)

Imagine-se a realidade destes últimos quinze anos filmada por uma TV Globo de porre, com a cabeça feita por Coca-Cola e LSD: é mais ou menos isso que encontramos neste romance delirante, vertiginoso, do mineiro Roberto Drummond."

(SEVERINO FRANCISCO – CORREIO BRAZILIENSE)

"... é magnífico do ponto de vista técnico e da exploração do tema. Lá estão retratadas várias gerações: de antes, pós-64 e dos próximos anos. É a história de um povo, sofredor de 20 anos, sob a forma de ficção..."

(EMÍLIO GRINBAUM – JORNAL DE MINAS)

"SANGUE DE COCA-COLA é um livro polêmico porque traz a renovação, sacode a poeira da literatura bem-comportada que anda por aí, e ousa. Impressiona o domínio do autor sobre seu texto."

(JOÃO CARLOS VIEGAS – LEIA LIVROS)

"SANGUE DE COCA-COLA é uma arte experimental, um texto inquieto à procura de um leitor reformista, um manifesto, um mapa, um código."

(DUÍLIO GOMES – ESTADO DE MINAS)

Quem gosta de literatura bem feita e amou HILDA FURACÃO no livro e na TV vai adorar SANGUE DE COCA-COLA, e com uma grande

vantagem: ao mesmo tempo em que diverte, este livro faz o leitor se sentir inteligente. Ele não faz nenhuma concessão às facilidades da literatura barata, e apesar disso consegue ser agradável de ler, absolutamente adorável, emocionante!
(Susana Kakowicz)

Sobre Inês é Morta

"Uma viagem fantástica ao coração da ditadura militar. Uma história escrita com sangue, poesia, paixão e fúria."
(Luiz Fernando Emediato)

"Eu recomendo. Li em três horas... É um livro que realmente vale a pena. Vocês podem ler que eu garanto..."
(Jô Soares)

"Muitos são os demônios a serem exorcizados pelo Brasil. Roberto Drummond escreveu, com a competência costumeira, sobre alguns desses fantasmas malignos, aqueles que arrastaram suas correntes nos porões da ditadura militar."
(José Nêumanne, Jornal da Tarde)

"Uma parábola intemporal sobre a tirania."
(Jean-Charles Gateau, Le Temps, Genebra)

Impressão e Acabamento | Gráfica Viena
Todo papel desta obra possui certificação FSC® do fabricante.
Produzido conforme melhores práticas de gestão ambiental (ISO 14001)
www.graficaviena.com.br